faith and trust

Rabbi Shemuel Houminer

ספר מצוות הבטחון

faith and trust

Published by QUANTUM PRESS

English translation by
Kalmen Gross and Dovid Rossoff

First published 1994 • ISBN 0-87306-657-x hardcover

Copyright © 1994 by Kalmen Gross
Hebrew rights held by the Houminer family.

Distributed by

FELDHEIM PUBLISHERS
POB 35002
Jerusalem, Israel

FELDHEIM PUBLISHERS
200 Airport Executive Park
Nanuet, NY 10954

Printed in Israel

With gratitude to the Almighty Healer
Who cured me from a difficult illness,
I dedicate this book in memory of my beloved father

רפאל יצחק בן קלונימוס ז"ל

whose example of faith, compassion,
and lovingkindness lives on.

Preface

Trust in God is not just a philosophical platform. It is a very down-to-earth necessity. On a daily basis, we are placed in circumstances that measure our trust. Whether they have to do with our livelihood, our health, or our family's general well-being, we are called upon to recognize our dependency on God as the source of our successes. We constantly need to confide in God and renew the bonds of faith with our Creator. We naturally search for ways to strengthen our trust in God.

Many of us, when "fate" turns against us, embark on an exploration of the "why" in our lives. Along the way, we often encounter not only ourselves in a more profound way, but God, Who gives us strength, direction, purpose, and hope. In discovering our limitations, we can connect ourselves with the Infinite One, Who can pick up our lives when we can no longer continue.

This handbook, culled from a wide range of sources, is designed to accompany a person on his or her journey toward a deeper level of trust in God. It is meant as a book of inspiration, a way of renewing trust wherever we might be, particularly during a time of distress and uncertainty.

The success of the book in Hebrew has prompted us to make it available in English. This translation has been geared for smooth readability and understanding, with the original Hebrew text retained for reference.

On a personal note, this small but invaluable book has accompanied me through several difficult passages in my life. The ideas presented here comforted as well as strengthened me in the face of very painful events. It is my hope that this adaptation will bring such comfort and strength to all those who read it.

Kalmen Gross

Translator's Introduction

"Trust in God" is one of the least understood concepts in Judaism. To many it means the certainty that all will be well, and that everything will be fine. For the faithful, trust in God is a source of comfort. Yet for others, this very trust is a source of contempt. Trust in God is a complex issue and sometimes the subtleties of it can escape us. What does it really mean when we say "I trust in God"? Many individuals find they are at a loss for the definition of both faith and trust.

To the thinking person, trust refers to the awareness that all is in God's hands. Our successes and our failures are only partially dependent on our own efforts. The man of faith lives his life with a silent partner by his side. God, the silent partner, determines the final outcome of our endeavors. Any result is intimately connected to the game plan God has for us.

God's domain is broad-reaching. Intuitively we know this, as the saying goes, "There are no atheists in the fox hole." The Talmud states "even a burglar at the windowsill prays to God for his success." When the chips are down, our eyes instinctively turn to God. Often we begin to pray. Sometimes these prayers are spoken out loud, often they are not. Instead, our heart speaks silent prayers. What do we hope for? What is it that we expect?

Trust in God is not an excuse for indolence. Every responsible effort to obtain what we need must be made. In the face of setbacks we dare not throw up our hands and excuse ourselves from the necessary course of action.

Yet the believer recognizes that ultimately ALL is not in his own hands.

A parable best illustrates this point. A farmer plants his seeds in order to reap his crop. On occasion there is a serious frost, a drought, or a plague, and his crop does not prosper. He sows but does not reap. Everything is not in the farmer's hands. Yet, had he not planted, carefully watered and cared for his crop, he would not have had any possibility of reaping from the harvest. This parable illustrates the basic concept of trust: We do ours, knowing that God controls all the variables which will determine the outcome.

Trust requires an awareness that God cares profoundly about us. If we trust Him, we then work on building an intimate relationship. Our individual lives take on special significance before God, and then we merit special consideration. We build a reciprocal relationship with God.

A final dimension of trust involves developing our ability to understand that whatever *appears* to be bad may actually be good, and vice versa. If we are totally absorbed by our own world view and do not experience God's involvement, the many turns our lives take seem meaningless and disappointing.

Faith and trust create many challenges and opportunities for us. Sometimes in our struggles with faith and trust we cry out in pain, we call to God from the depths of despair. Through these prayers we have channeled and strengthened our belief.

Through our prayers we strengthen our bond and relationship to God. This enables us to accept the noes to our specific requests, along with the yeses. It is our faith and trust which allows us to believe that God's view is global and cosmic in proportion. All that we are to achieve in our own life's mission is supervised from His point of total clarity. Our prayer is who and what we are, and God's answer is often a directional signal guiding each person toward his individual destiny.

A story is told of a great Chassidic Rebbe who was visited by a woman who wanted his help. Her only son was desperately ill with leukemia, and it would only be a matter of months before he would succumb. The mother, trembling with fear, spoke to the Rebbe while tears rolled down her cheeks. The Rebbe looked into the mother's eyes and said, "If you knew that it was God's will, would you be willing to let your son die? Could you give him up if you knew that God wanted him?"

The poor mother just sat there, looking back at the Rebbe. After a long struggle with her emotions, she finally replied, "Yes, if I knew for certain that it was God's will, then I would be willing to give up the boy."

The Rebbe nodded and said, "Now we can pray for the boy." He then offered a prayer for the youth, surrendering him completely to the wisdom and mercy of God. Three days later the boy was released from the hospital. Rabbi Aryeh Kaplan *zt"l* tells this story; he knew the boy. The boy is now a grown man.

Faith is a deeply personal and intimate experience. Faith and trust in God call upon us not only to believe, but to develop our relationship with God as the silent partner of our lives.

About the Author

Rabbi Shemuel Houminer was born in Jerusalem in 1914, and studied in the famous Etz Chayim Yeshivah under the leadership of Rabbi Isser Zalman Meltzer. Rabbi Shemuel's father was a *mashgiach* at the yeshivah and published a collection of homilies on the Torah entitled *Mi-ben Shemuel*. Rabbi Shemuel's grandfather, after whom he was named, came from a rabbinical family in Brezen. His mother was a member of the Rivlin family which immigrated to Israel at the beginning of the nineteenth century with the influx of disciples of the Vilna Gaon.

Rabbi Shemuel was not a prodigy, but what stood out in his youth was his humility and his diligence in his studies. These two characteristics played a key role throughout his life.

During the 1950s he was involved in outreach work, traveling outside Jerusalem in order to influence new immigrants to keep Jewish tradition and observance an integral part of their lives.

Over the years, he became a prolific writer. His books were an extension of his personality, geared toward clarifying major concerns in Jewish life. For instance, his first book, *Ikarei Dinim*, was a condensed adaptation of the laws of *lashon ha-ra* based on the classic work of the Chafetz Chayim. Other books include *Ola'as Tamid* on prayer, *Sefer Kedushah* on marriage, and *Lev Tahor* on anger. Each was well-received and was reprinted several times.

Rabbi Houminer's masterpiece was his nine-volume

commentary on *Tanach*, entitled *Eved Ha-melech* (*Servant of the King*), which pinpoints all the mitzvos a Jew is obligated to fulfill, wherever they appear in the Bible. In this book, many ramifications of the 613 commandments were explained, each carefully weighed in consultation with other leading Torah sages before being included. Thus *Eved Ha-melech* succeeded in uncovering a new dimension in the Jew's role as a loyal servant of the King of Kings.

Rabbi Shemuel's greatness lay in the depth of his genuine humility and faith in God. He attracted many followers, and his love of his fellow Jew was without bounds. He always had time to talk with people, and was truly loved by all. A biography of his life is expected to be published in the near future.

He died on 17 Sivan, 5737, after a long bout with cancer. During his illness, one could clearly see Rabbi Shemuel's faith in God and his capacity to strengthen his faith even in the face of suffering and adversity. He is buried on the Mount of Olives.

Sefer Mitzvas Ha-bitachon was his last book, and was received warmly by the public. It has been reprinted over a dozen times, and has been of great assistance to a wide range of readers.

Rabbi Houminer was one of the great personalities of our times, an innovative thinker and teacher. He served as a shining example to our generation, for Rabbi Shemuel was, like his work, a true *Eved Ha-melech*.

Author's Introduction

In the *Talmud Yerushalmi Berachos* 5:1 it states: R. Chizki-yah said in the name of R. Yochanan, "Never let this verse leave your mouth: 'God, the Lord of hosts, is with us, a stronghold for us is the God of Yaakov, selah' (*Tehillim* 46:8). R. Yossi ben R. Avun and his companions said this verse, "Oh mighty God, fortunate is the man who trusts in You" (ibid. 84:13). R. Chizkiyah said the following prayer: "May it be Your will, O Hashem our God and the God of our forefathers, that You save us from times of disaster, when the worst possible events unfold" (ibid.).

The *Midrash Tanchuma* interprets the verse, "Hope in God and guard His ways"(*Tehillim* 37:34), as follows: "David Ha-melech said, 'Master of the universe, people aspire to the best possible virtues: if one is poor, he hopes to become rich; if one has a weak constitution, he hopes to improve his health; if one is sick, he hopes to get better; and if one is locked in jail, he hopes he will be freed soon.'"

The Maharal of Prague, the light of his generation, said that every person should recite verses that reflect trust in God. In this way, one will accustom himself to place his trust and faith in God. This principle is one of the foundations of Judaism. Trust in God needs constant reinforcement, and thus, he recommends that after reciting verses, one should request God to strengthen his faith and trust as much as possible.

The Maharal, quoting his grandfather R. Chayim, told of an ancient belief that the recitation of verses on trust proves beneficial in nullifying ominous tidings. In practice, people had used this technique on the battlefield, placed their trust wholeheartedly in the Blessed One, and had been saved. Likewise, the recitation of these verses has proved beneficial before engaging in business transactions, as well as any other projects (*Mishpat Tzedek*, no. 214).

Verses pertaining to trust in God have already appeared in many books, including *Taharas Ha-kodesh*, *Tikun Gadol*, *Mishpat Tzedek*, *Toldos Ha-tzaddik Rabbi Yosef Zundel of Salant*, and *Toras Hashgachah U'bitachon*. (In the English edition, we have placed the section containing these verses toward the end of the book.)

Contents

*faith
and
trust*

פֶּרֶק א

בֵּאוּר מִצְוַת הַבִּטָּחוֹן

א

כְּתִיב (תהלים סב, ט) "בִּטְחוּ בוֹ בְכָל-עֵת, עָם שִׁפְכוּ לְפָנָיו לְבַבְכֶם, אֱלֹהִים מַחֲסֶה-לָּנוּ סֶלָה": נִצְטַוֵּינוּ בָּזֶה עַל הַבִּטָּחוֹן, וַאֲפִלּוּ אִם חָלִילָה בָּאוּ עָלָיו צָרוֹת רַבּוֹת וּפַחַד אוֹיְבִים וְרוֹצְחִים סָבִיב לוֹ, יִתְחַזֵּק בְּבִטָּחוֹן בְּהַקָּדוֹשׁ בָּרוּךְ הוּא שֶׁיַּעֲזֹר לוֹ וְיוֹשִׁיעַ אוֹתוֹ מִכָּל צָרוֹתָיו.

וּבְכָל יוֹם וָיוֹם, וְכָל עֵת וָעֵת, וְכָל שָׁעָה וְשָׁעָה, עַל כָּל מַה שֶּׁמִּצְטָרֵךְ לוֹ לְאָדָם בֵּין דָּבָר קָטָן בֵּין דָּבָר גָּדוֹל, יִבְטַח בְּהַקָּדוֹשׁ בָּרוּךְ הוּא שֶׁיַּעֲזֹר לוֹ עַל הַדָּבָר הַהוּא וְיַזְמִין לוֹ כָּל הִצְטָרְכוּתוֹ (עבד המלך).

ב

מִצְוַת הַבִּטָּחוֹן הוּא שֶׁיֵּדַע עִם לְבָבוֹ כִּי הַכֹּל בִּידֵי שָׁמַיִם, וּבְיַד ה' לְשַׁנּוֹת הַטְּבָעִים וּלְהַחֲלִיף הַמַּזָּל, וְאֵין לַה' מַעֲצוֹר לְהוֹשִׁיעַ בְּרַב וּבִמְעָט, וְגַם כִּי צָרָה קְרוֹבָה יְשׁוּעָתוֹ קְרוֹבָה לָבוֹא, כִּי כֹל יוּכַל וְלֹא יִבָּצֵר מְזִמָּה, וְיִבְטַח בְּהַשֵּׁם יִתְבָּרֵךְ בְּכָל צָרָה וַחֲשֵׁכָה. וְיֵדַע אֱמֶת כִּי הוּא רַב לְהוֹשִׁיעַ מִכָּל-צָרָה,

1

Defining Trust

❧ 1 ❧ At All Times

"Trust in Him at all times, O nation, pour out your hearts before Him, God is a refuge for us, selah" (*Tehillim* 62:9). This verse teaches us one of the fundamental axioms of trust in God. Our trust should be "at all times," even in the face of many difficulties and when gripped with fear of the enemies who may surround us. At such a time, one should reinforce his trust that God will help him and save him from his predicament.

Trust in God should be practiced at all times and under all circumstances. Each day, and at every moment during the day, one should trust that God will aid him, whether the need is great or small, and He will provide for all his needs.

(*Eved Ha-melech*)

❧ 2 ❧ Everything Is from God

The commandment to trust in God requires one to know in his heart that everything is in God's hands. God has the power to alter the laws of nature and to change one's fortune, and His ability to rescue is unlimited. Even under the most threatening circumstances, God's help is close by for He, by definition, can do anything, and nothing is impossible for Him.

One's trust in God during times of tragedy and darkness should stem from the knowledge that God can rescue him

3

וִישׁוּעָתוֹ כְּהֶרֶף עַיִן. וְעַל כֵּן יְקַוֶּה לִישׁוּעָתוֹ גַּם אִם הַחֶרֶב מֻנַּחַת עַל צַוַּאר הָאָדָם, כְּעִנְיָן שֶׁנֶּאֱמַר (איוב יג, טו) "הֵן יִקְטְלֵנִי לוֹ אֲיַחֵל", וְנֶאֱמַר (תהלים סב, ט) "בִּטְחוּ בוֹ בְכָל עֵת", פֵּרוּשׁ בְּכָל עֵת גַּם בְּעֵת שֶׁהַצָּרָה קְרוֹבָה וְלֹא יֵדַע הָאָדָם דֶּרֶךְ לְהִנָּצֵל מִמֶּנָּה. וְנֶאֱמַר (ישעיה כו, ד) "בִּטְחוּ בַיְיָ עֲדֵי עַד, כִּי בְּיָהּ יְיָ צוּר עוֹלָמִים". כִּי הוּא יִתְבָּרַךְ יוֹצֵר הָעוֹלָם־הַזֶּה וְעוֹלָם־הַבָּא, וְהַכֹּל בְּיָדוֹ, לָכֵן בִּטְחוּ בוֹ כִּי כֹל יוּכַל (רבינו יונה משלי ג).

ג

יָכוֹל לִהְיוֹת שֶׁיִּמָּצֵא אִישׁ שֶׁיִּבְטַח בְּהַשֵּׁם יִתְבָּרַךְ בִּכְלָלוּת, וּמַאֲמִין בֶּאֱמוּנָה שְׁלֵמָה כִּי הַכֹּל בְּיָדוֹ יִתְבָּרַךְ, אֲבָל עִנְיַן הַבִּטָּחוֹן בְּכָל פְּרָטֵי פְּעֻלּוֹתָיו שֶׁעוֹשֶׂה אוֹ בְכָל דֶּרֶךְ שֶׁיִּפְנֶה לֹא יָשִׁית אֶל לִבּוֹ. וְהוּא זוֹכֵר אֶת הַשֵּׁם יִתְבָּרַךְ וְעֵינָיו נוֹשֵׂא אֵלָיו בְּמַעֲשֶׂה גָּדוֹל, כְּגוֹן לָצֵאת בְּיָם אוֹ בְשַׁיָּרָה, וְאֵינוֹ נוֹהֵג מִנְהָג כְּגוֹן זֶה בְּעַצְמוֹ בַּמַּעֲשֶׂה הַקָּטָן כְּשֶׁהוּא צָרִיךְ לָלֶכֶת אֶל מָקוֹם קָרוֹב אוֹ בָעִיר עַצְמָהּ, הִנֵּה הוּא מְקַצֵּר בְּחֹק הָעֲבוֹדָה.

אֲבָל הַבִּטָּחוֹן הַשָּׁלֵם הָאֲמִתִּי הוּא, שֶׁיִּתְלֶה בִטְחוֹנוֹ בְּהַשֵּׁם יִתְבָּרַךְ לְבַדּוֹ, וְשֶׁיִּזְכֹּר אוֹתוֹ בְּכָל פְּרָטֵי פְּעֻלּוֹתָיו, וְיִתְבּוֹנֵן כִּי אֵין הַמַּעֲשֶׂה הַהוּא מָסוּר בְּיָדוֹ אֶלָּא בִרְצוֹנוֹ יִתְבָּרַךְ, וְיַחְשֹׁב שֶׁאֶפְשָׁר שֶׁיַּגִּיעַ לוֹ נֶזֶק בְּמָקוֹם קָרוֹב אִם לֹא שֶׁחָלָה עָלָיו שְׁמִירָתוֹ יִתְבָּרַךְ.

וְאִם אוּלַי לֹא יַצְלִיחַ בְּאוֹתוֹ הַמַּעֲשֶׂה שֶׁהוּא רוֹצֶה לַעֲשׂוֹת

from any difficulty, and that His salvation can come as swiftly as the blink of an eye. Therefore, one must remain hopeful even when death is imminent, as the verses say, "Though he slay me, I will still trust Him" (*Iyov* 13:15), and, "Trust in Him at all times" (*Tehillim* 62:9). "At all times" implies that one's trust should be strong even when danger is imminent, and he cannot foresee how to free himself from it.

In *Yeshayahu* 26:4 it says, "Trust in Hashem forever, for God is the strength of the worlds." Trust in God, who has created this world and the next world, for surely everything is within His power.

(Rabbenu Yonah)

❧ 3 ❧ Trust God during Everything that Befalls One

Some people profess a general trust in God, believing that everything is in God's hands, yet they lack trust when they must take specific action or make a decision that will affect their lives. When it comes to major events, such as departing on a journey by sea or land, they remember God and lift up their eyes to Him. But for small matters, like traveling within the city, they do not follow this practice. Thus, they fall short in their service to God.

Genuine trust, however, means relying solely on God and remembering Him in one's every action. Upon reflection, one will realize that everything he does is the will of God and not a result of his own decision-making. Similarly, one should be aware of the everpresent possibility that something harmful could happen to him even in the safest of places, were it not for the Divine protection extended to him.

The reward for trusting in God far exceeds the success of one's endeavors. Thus, if one fails to reach his desired

וְלֹא יַעֲלֶה בְיָדוֹ, בֵּין שֶׁיִּהְיֶה גָדוֹל אוֹ קָטָן, וְהוּא בוֹטֵחַ בּוֹ תָּמִיד וּמִדַּת הַבִּטָּחוֹן לֹא תָזוּז מִמֶּנּוּ, הֲלֹא שְׂכַר הַבִּטָּחוֹן שֶׁהָיָה לוֹ חוֹזֵר לְתוֹעֶלֶת גָּדוֹל מְאֹד מִתּוֹעֶלֶת הַמַּעֲשֶׂה. וְאִם יַצְלִיחַ בּוֹ וְיַעֲלֶה בְיָדוֹ, הֲלֹא הוּא זוֹכֶה בִּשְׁנֵיהֶם, וּשְׁנֵיהֶם כְּאֶחָד טוֹבִים (רבינו בחיי בספר "כד הקמח" אות בטחון).

ד

אֵין לָאִישׁ חֲזָקָה בֶּאֱמוּנָתוֹ לִהְיוֹת נֶאֱמָן בִּבְרִיתוֹ כְּשֶׁיִּהְיֶה שׁוֹמֵר בְּרִית וְתוֹרָה וְעוֹבֵד אֶת הַשֵּׁם בִּהְיוֹת שַׁאֲנָן וְשָׁלֵו בְּבֵיתוֹ וְרַעֲנָן בְּהֵיכָלוֹ וּמַעֲשָׂיו מַצְלִיחִים וְאֵין פִּשְׁתָּנוֹ לוֹקֶה וְלֹא יֵינוֹ מַחְמִיץ, אֲבָל כִּי גַם בְּהִתְהַפֵּךְ עָלָיו בַּלָּהוֹת הַזְּמַן וַאֲחָזוּהוּ יְמֵי עֹנִי וְיִרְדְּפוּהוּ עַד הַשְּׁבָרִים, לֹא יָסִיר תֻּמָּתוֹ מִמֶּנּוּ, וּבָזֶה יִבָּחֵן הַצַּדִּיק אִם הוּא עוֹבֵד מֵאַהֲבָה.

ה

"אִם־לֹא שִׁוִּיתִי וְדוֹמַמְתִּי נַפְשִׁי כְּגָמֻל עֲלֵי אִמּוֹ כַּגָּמֻל עָלַי נַפְשִׁי: יַחֵל יִשְׂרָאֵל אֶל־יְיָ מֵעַתָּה וְעַד עוֹלָם" (תהלים קלא, ב־ג): נִצְטַוִּינוּ בָזֶה לִבְטֹחַ בְּהַקָּדוֹשׁ בָּרוּךְ הוּא, וְכָל יוֹם וָיוֹם וְכָל עֵת וָעֵת וְכָל שָׁעָה וְשָׁעָה כָּל מַה שֶּׁצָּרִיךְ לוֹ בֵּין דָּבָר קָטָן בֵּין דָּבָר גָּדוֹל יִבְטַח בְּהַקָּדוֹשׁ בָּרוּךְ הוּא שֶׁיַּעֲזֹר לוֹ עַל הַדָּבָר הַהוּא וְיַזְמִין לוֹ כָּל צָרְכּוֹ (עבד המלך).

goal, be it great or small, yet continues trusting in God, his trust remains the most crucial factor in God's eyes. And should he achieve his goal, then he gains twofold.

(Rabbenu Bachya)

❧ 4 ❧ The Truest Measure of Trust

The true measure of a man's trust in God is not reckoned while he is keeping the Covenant and Torah and serving God from the security of his peaceful home, surrounded by material success — when his crops are not destroyed by pestilence and his wine does not go sour. Rather, it is measured at those times when catastrophe strikes, when poverty and other misfortunes pursue him. At such times, his determination to remain trusting is the real measure. It is at times like these that the righteous man is tested to see if his Divine service stems from true love of God.

(*Sefer Ha-ikarim*)

❧ 5 ❧ Like a Pure Infant

David Ha-melech movingly expresses the theme of trust when he says, "I have stilled and quieted myself like a suckling babe beside his mother; my soul is like a suckling babe. Let Israel hope in Hashem from now until forever" (*Tehillim* 131:2-3). This teaches us the importance of trust on a daily, hourly, and minute-to-minute basis. In matters great or small, one should trust in God's helping hand.

(*Eved Ha-melech*)

ו

שָׁאֲלוּ לְרַבֵּנוּ הַגְּרָ"א אֵיךְ הוּא מִצְוַת הַבִּטָּחוֹן בְּהַקָּדוֹשׁ בָּרוּךְ הוּא, וְאָמַר כְּבָר פֵּרֵשׁ לָנוּ דָּוִד הַמֶּלֶךְ ע"ה (תהלים קלא, ב) "אִם־לֹא שִׁוִּיתִי וְדוֹמַמְתִּי נַפְשִׁי כְּגָמֻל עֲלֵי אִמּוֹ כַּגָּמֻל עָלַי נַפְשִׁי", פֵּרוּשׁ כְּמוֹ הַגָּמוּל הַיּוֹנֵק מִשְּׁדֵי אִמּוֹ כַּאֲשֶׁר יָנַק כְּדֵי שָׂבְעוֹ, אֵינוֹ דוֹאֵג וְשָׂם עַל לִבּוֹ אִם יִהְיֶה לוֹ מַה לִּינֹק אַחַר כַּמָּה שָׁעוֹת כְּשֶׁיִּהְיֶה רָעֵב, כַּגָּמוּל הַזֶּה עָלַי נַפְשִׁי, שֶׁאֵינֶנִּי דוֹאֵג כְּלָל מַה יִּהְיֶה אַחֲרֵי שָׁעָה אוֹ לְיוֹם מָחָר. וְזֶהוּ גַּם כֵּן מַה שֶּׁכָּתוּב (שם כב, ט־יא) "גֹּל אֶל יְיָ יְפַלְּטֵהוּ יַצִּילֵהוּ כִּי חָפֵץ בּוֹ: כִּי אַתָּה גֹחִי מִבָּטֶן מַבְטִיחִי עַל שְׁדֵי אִמִּי: עָלֶיךָ הָשְׁלַכְתִּי מֵרָחֶם מִבֶּטֶן אִמִּי אֵלִי אָתָּה": (קול אליהו החדש) וְזֶהוּ שֶׁצִּוְּתָה הַתּוֹרָה (שם קלא, ג) "יַחֵל יִשְׂרָאֵל אֶל יְיָ מֵעַתָּה וְעַד עוֹלָם":

ז

הִקְדִּים לְהַזְהִיר עַל הַבִּטָּחוֹן תְּחִלָּה שֶׁאָמַר (תהלים לז, ג) "בְּטַח בַּייָ" וְאַחַר־כָּךְ הִזְהִיר עַל מַעֲשֶׂה הַטּוֹב שֶׁאָמַר "וַעֲשֵׂה טוֹב", לְהוֹדִיעַ שֶׁהַבִּטָּחוֹן הוּא שֶׁיִּבְטַח בּוֹ שֶׁיַּעַזְרֵהוּ לַעֲשׂוֹת מִצְוֹתָיו, כְּלוֹמַר שֶׁיַּעֲזֹר וְיִסְמֹךְ אוֹתוֹ לַעֲשׂוֹת חֶפְצוֹ וּמִצְוֹתָיו. וְאַחַר־כָּךְ אָמַר "וַעֲשֵׂה טוֹב" כְּלוֹמַר רְדֹף אַחַר הַמִּצְוֹת וְהִשְׁתַּדֵּל לַעֲשׂוֹת אוֹתָן וְאַל תִּתְרַשֵּׁל לַעֲשׂוֹת הַטּוֹב מִפְּנֵי קֹצֶר יְכָלְתְּךָ, כִּי יִסְמֹךְ אוֹתְךָ וְיַעַזְרֶךָ. זֶהוּ פֵּרוּשׁ "בְּטַח

⋙ 6 ⋘ A Nursing Babe

The Vilna Gaon was once asked what it means to trust in God. The answer, he replied, was given long ago by David Ha-melech in *Tehillim* 131:2: "I have stilled and quieted myself like a suckling babe beside his mother; my soul is like a suckling babe." We should think of ourselves, the Vilna Gaon explained, as an infant nursing from his mother's breast. When he is full, he doesn't worry about whether there will be more milk in a few hours when he will be hungry again. This is precisely what David Ha-melech meant when he said, "My soul is like a suckling babe" — I will not worry what will be in another hour or even tomorrow.

Tehillim 22:9-11 conveys the same theme: "One who casts his burdens upon Hashem, He will deliver him, for He delights in him. For You took me out of the womb, and made me secure on my mother's breast. Upon You I have been cast from birth, from my mother's womb You have been my God." This, says the Vilna Gaon, is the meaning of "Let Yisrael hope in Hashem from now until forever" (*Tehillim* 131:3).

(Vilna Gaon)

⋙ 7 ⋘ Despite One's Past Sins, Trust in God

The verse, "Trust in God and do good" (*Tehillim* 37:3), instructs one to first trust in God, and then to act properly. This sequence teaches us that trust means relying on Him to help us perform His commandments, i.e., that God will assist us in achieving this goal. Afterward comes "doing good," which means pursuing the commandments and fulfilling them. Don't be negligent in achieving this good because of your limited ability, for He will assist you. This is the meaning of "Trust in God and do good," and it is

בַּה׳ וַעֲשֵׂה טוֹב״, וְזֹאת הִיא כַּוָּנָתוֹ בְּהַקְדִּימוֹ צִוּוּי הַבִּטָּחוֹן לְצִוּוּי מַעֲשֶׂה הַטּוֹב. וְאַחַר שֶׁהִזְכִּיר הַבִּטָּחוֹן הִזְכִּיר הָאֱמוּנָה וְאָמַר ״שְׁכָן אֶרֶץ וּרְעֵה אֱמוּנָה״ (רמב״ן האמונה והבטחון פ״א).

ח

עוֹד, יֹאמַר ״בְּטַח בַּה׳ וַעֲשֵׂה טוֹב״ כְּלוֹמַר אַף־עַל־פִּי שֶׁאֵין בְּיָדְךָ מַעֲשִׂים וְתֵדַע בְּעַצְמְךָ שֶׁאַתָּה רָשָׁע עִם כָּל זֶה בְּטַח בַּה׳, כִּי הוּא בַּעַל רַחֲמִים וִירַחֵם עָלֶיךָ, כְּמוֹ שֶׁכָּתוּב (תהלים קמה, ט׳) ״וְרַחֲמָיו עַל כָּל מַעֲשָׂיו״, עַל כֵּן אָמַר בַּתְּחִלָּה ״בְּטַח בַּה׳״, כְּלוֹמַר בֵּין שֶׁתִּהְיֶה צַדִּיק בֵּין שֶׁתִּהְיֶה רָשָׁע — בְּטַח בַּה׳. וְאַחַר־כָּךְ אָמַר ״וַעֲשֵׂה טוֹב״, כְּלוֹמַר אַף־עַל־פִּי שֶׁהוּא רַחוּם וְחַנּוּן אַל יַבְטִיחֲךָ יִצְרְךָ שֶׁלֹּא תִרְאֶה רָע, כִּי הַבּוֹרֵא יִתְבָּרַךְ שְׁמוֹ מַאֲרִיךְ רוּחֵהּ וְגָבֵי דִילֵהּ, וְעַל־כֵּן כְּשֶׁתִּרְאֶה שֶׁהוּא מְרַחֵם עָלֶיךָ וּמְמַלֵּא מִשְׁאֲלוֹתֶיךָ אֲזַי תִּהְיֶה צָרִיךְ לַעֲשׂוֹת טוֹב (רמב״ן שם).

וּלְשׁוֹן הַגְּמָרָא (בבא קמא נ, א): אָמַר רַבִּי חֲנִינָא כָּל הָאוֹמֵר הַקָּדוֹשׁ־בָּרוּךְ־הוּא וַתְּרָן הוּא (לַעֲבֹר עַל כָּל פְּשָׁעִם) יְוָּתְרוּ חַיָּיו (יֻפְקְרוּ חַיָּיו וְגוּפוֹ, שֶׁמּוּרָה אֶל הַבְּרִיּוֹת לַחֲטֹא, רש״י).

ט

עוֹד בְּמִצְוַת הַבִּטָּחוֹן הִיא שֶׁתִּהְיֶה הַשְׁגָּחָתוֹ חֲזָקָה

why the commandment to trust in God precedes the commandment to perform acts of lovingkindness.

Only after mentioning trust, does the verse mention dwelling in the land and nurturing faith.

(Ramban)

8 Trust in God, for God Is Merciful

Another explanation for the order of ideas in the verse, "Trust in God and do good" (*Tehillim* 37:3), is the following: Even if you have not amassed good deeds and you recognize that you are a bad person, nevertheless "trust in God," for He is compassionate and will act mercifully toward you, as it says, "His mercies are on all His creatures" (*Tehillim* 145:9).

The verse begins, "Trust in God," implying that whether you are righteous or wicked you should trust in God. Then the verse continues, "and do good," that even though He is kind and merciful, do not become overly confident that bad things will never happen to you, for God waits patiently and justice is His. Therefore, especially when you see that He is acting mercifully toward you and fulfilling your requests, you should reciprocate by doing good.

(Ramban, ibid.)

The Talmud expresses a similar idea. R. Chanina said, "Whoever says that God disregards sin will find his own life disregarded, since he thereby teaches others to sin."

(*Bava Kama* and Rashi 50a)

9 Doing the Will of God

The commandment concerning *bitachon* requires great attentiveness, being exceptionally diligent in fulfilling what

וְהִשְׁתַּדְּלוּתוֹ גְדוֹלָה לְקַיֵּם מַה שֶׁחִיְּבוֹ בּוֹ הַבּוֹרֵא מֵעֲבוֹדָתוֹ, וְלַעֲשׂוֹת מִצְוֹתָיו, וּלְהִזָּהֵר מֵאֲשֶׁר הִזְהִירוֹ מִמֶּנּוּ, כְּפִי מַה שֶׁהוּא מְבַקֵּשׁ, כְּדֵי שֶׁיִּהְיֶה הַבּוֹרֵא מַסְכִּים לוֹ בַּמֶּה שֶׁהוּא בּוֹטֵחַ עָלָיו, כְּמוֹ שֶׁאָמְרוּ רַבּוֹתֵינוּ זִכְרוֹנָם לִבְרָכָה (אבות פ״ב) ״עֲשֵׂה רְצוֹנוֹ כִרְצוֹנֶךָ, כְּדֵי שֶׁיַּעֲשֶׂה רְצוֹנְךָ כִרְצוֹנוֹ. בַּטֵּל רְצוֹנְךָ מִפְּנֵי רְצוֹנוֹ, כְּדֵי שֶׁיְּבַטֵּל רְצוֹן אֲחֵרִים מִפְּנֵי רְצוֹנֶךָ״. וְאָמַר הַכָּתוּב (תהלים לז, ג) ״בְּטַח בַּיְיָ וַעֲשֵׂה טוֹב שְׁכָן אֶרֶץ וּרְעֵה אֱמוּנָה״, וְאָמַר (איכה ג, כה) ״טוֹב יְיָ לְקוָֹו לְנֶפֶשׁ תִּדְרְשֶׁנּוּ״.

אֲבָל מִי שֶׁיִּבְטַח עַל הַבּוֹרֵא וְהוּא מַמְרֶה אוֹתוֹ, כַּמָּה הוּא סָכָל וְכַמָּה דַעְתּוֹ וְהַכָּרָתוֹ חֲלוּשָׁה, כִּי הוּא רוֹאֶה כִּי מִי שֶׁנִּתְמַנֶּה לוֹ מִבְּנֵי־אָדָם עַל דָּבָר שֶׁהוּא מְצַוֶּה אוֹתוֹ לְהִתְעַסֵּק בְּצֹרֶךְ מִצְרָכָיו אוֹ מַזְהִיר אוֹתוֹ מִדָּבָר, וַיַּעֲבֹר עַל מִצְוֹתָיו, וְיַגִּיעַ לַמְמַנֶּה עָבְרוֹ עַל מִצְוֹתָיו, כִּי יִהְיֶה הַסִּבָּה הַחֲזָקָה לְהִמָּנַע מִמֶּנּוּ לְהֵעָשׂוֹת מַה שֶׁבָּטַח עָלָיו בּוֹ, כָּל־שֶׁכֵּן מִי שֶׁעָבַר עַל חֻקֵּי הָאֱלֹהִים וּמִצְוֹתָיו, אֲשֶׁר יָעַד וְהֵעִיד עֲלֵיהֶם שֶׁתִּהְיֶה תּוֹחֶלֶת הַבּוֹטֵחַ עָלָיו נִכְזָבָה כְּשֶׁיַּמְרֵהוּ, וְלֹא יִהְיֶה רָאוּי לְהִקָּרֵא בְּשֵׁם בּוֹטֵחַ בֵּאלֹקִים, אַךְ הוּא כְּמוֹ שֶׁאָמַר הַכָּתוּב (איוב כז, ח־ט) ״כִּי מַה־תִּקְוַת חָנֵף כִּי יִבְצָע כִּי יֵשֶׁל אֱלוֹהַּ נַפְשׁוֹ: הֲצַעֲקָתוֹ יִשְׁמַע אֵל כִּי־תָבוֹא עָלָיו צָרָה״. וְאָמַר (ירמיה ז, ט׳־יא) ״הֲגָנֹב רָצֹחַ וְנָאֹף וְהִשָּׁבֵעַ לַשֶּׁקֶר״, וְאָמַר ״וּבָאתֶם וַעֲמַדְתֶּם לְפָנַי בַּבַּיִת הַזֶּה אֲשֶׁר נִקְרָא שְׁמִי עָלָיו״, וְאָמַר ״הַמְעָרַת פָּרִיצִים הָיָה הַבַּיִת הַזֶּה אֲשֶׁר נִקְרָא שְׁמִי עָלָיו״ (חו״ה שער הבטחון פ״ג).

the Creator has obligated one to do, both performing
the commandments and refraining from what He has
warned us against doing, everything in accordance with
His wishes. The result of this will be that the Creator
shall consent to a person's wishes in proportion to the
person's trust in Him. This axiom has been enumerated
by our Sages (*Pirkei Avos* 2:4): "Do His will as you would
your own, so that He may do your will as though it were
His; nullify your will before His, so that He may negate
the will of others before your will." This, too, is the intent
of the verses, "Trust in God and do good, that you may
dwell in the land and be nurtured by your faith," (*Tehillim*
37:3) and, "God is good to those who hope in Him, to
the one that seeks him" (*Eichah* 3:25).

How foolish is a person who feigns trust in the Creator
while rebelling against Him. How frail are both his
knowledge and his perceptions. Surely, he is aware of what
happens when a person appoints someone to attend to a
certain task, commanding him to act responsibly and
warning him not to fail. Should the man not fulfill his
duty, and word of it reach his superior, the man most
likely will not receive whatever payment he had envisioned.
Likewise, since there is clear evidence that good comes
to one who trusts in Him, when one transgresses God's
laws and commandments his rebelliousness will result in
his disappointment. He will no longer merit being called
a believer in God. Instead, he is like what is described
in *Iyov* (27:8-9), "For what hope has the evildoer in that
he has robbed, for in the end God will take away his soul.
Will God hear his cry when trouble comes upon him?"
And it says, "Will you steal, murder, commit adultery and
swear falsely...and come and stand before Me in this house
which is called by My name? Has the house which is called
in My name become a den of robbers?"

(*Chovos Ha-levavos*)

י

כְּתִיב (תהלים לב, י) "רַבִּים מַכְאוֹבִים לָרָשָׁע, וְהַבּוֹטֵחַ בַּיְיָ חֶסֶד יְסוֹבְבֶנּוּ", רַבִּי אֱלִיעֶזֶר וְרַבִּי תַנְחוּם בְּשֵׁם רַבִּי יִרְמְיָה: אֲפִלּוּ רָשָׁע וּבוֹטֵחַ בַּה' חֶסֶד יְסוֹבְבֶנּוּ (ילקוט שמעוני שם).

יא

בְּ"נִשְׁמַת" אָנוּ אוֹמְרִים: מִמִּצְרַיִם גְּאַלְתָּנוּ יְיָ אֱלֹהֵינוּ, וּמִבֵּית עֲבָדִים פְּדִיתָנוּ, בְּרָעָב זַנְתָּנוּ, וּבְשָׂבָע כִּלְכַּלְתָּנוּ, מֵחֶרֶב הִצַּלְתָּנוּ, וּמִדֶּבֶר מִלַּטְתָּנוּ, וּמֵחֳלָיִם רָעִים וְנֶאֱמָנִים דִּלִּיתָנוּ. עַד הֵנָּה עֲזָרוּנוּ רַחֲמֶיךָ, וְלֹא עֲזָבוּנוּ חֲסָדֶיךָ, וְאַל תִּטְּשֵׁנוּ יְיָ אֱלֹהֵינוּ לָנֶצַח".

יֵשׁ שְׁנֵי מִינֵי תְּפִלּוֹת, א) שֶׁמְּבַקֵּשׁ שֶׁהַקָּדוֹשׁ־בָּרוּךְ־הוּא יַעֲשֶׂה לְמַעַן רַחֲמָיו וַחֲסָדָיו כְּמוֹ שֶׁאוֹמְרִים "עַד הֵנָּה עֲזָרוּנוּ רַחֲמֶיךָ וְלֹא עֲזָבוּנוּ חֲסָדֶיךָ וְאַל תִּטְּשֵׁנוּ ה' אֱלֹקֵינוּ לָנֶצַח", כְּלוֹמַר מַה שֶּׁאַתָּה "עַד הֵנָּה עֲזָרוּנוּ" הוּא "רַחֲמֶיךָ" וְלֹא לְמַעֲנֵנוּ, וּמַה שֶּׁאַתָּה "לֹא עֲזָבוּנוּ" הוּא "חֲסָדֶיךָ". וְלָכֵן אָנוּ בוֹטְחִים שֶׁ"אַל תִּטְּשֵׁנוּ ה' אֱלֹקֵינוּ לָנֶצַח". כִּי אִם הָיָה בִּשְׁבִילֵנוּ הָיִינוּ מִתְיָרְאִים שֶׁמָּא יִגְרֹם הַחֵטְא, אֲבָל כַּאֲשֶׁר הוּא לְמַעַן חֲסָדֶיךָ אֵין אָנוּ מִתְיָרְאִים כְּלָל, כִּי חֲסָדֶיךָ הֵמָּה

✺ 10 ✺ Trust in God and Be Surrounded by Kindness

"Many are the agonies of the wicked, but he who trusts in God is surrounded by kindness" (*Tehillim* 32:10). R. Eliezer and R. Tanchum, in the name of R. Yirmeyahu, explained the verse as follows: Even for a wicked person who trusts in God, "kindness surrounds him."

(*Yalkut Shimoni*)

✺ 11 ✺ Trust Leads to Fearlessness

In the *Nishmas* prayer we say: "You redeemed us from Egypt, O Hashem our God, and liberated us from the house of bondage. In famine You nourished us, and in plenty You sustained us. From the sword You saved us, from plagues You let us escape, and from severe and enduring diseases You spared us. Until now Your mercy has helped us and Your kindness has not forsaken us. Do not abandon us, O Hashem our God, forever."

From *Nishmas* we recognize two types of prayer:

1. The first type is a request that God, in His kindness and mercy, act on our behalf, as it says, "Until now Your mercy has helped us and Your kindness has not forsaken us. Do not abandon us, O Hashem our God, forever." The reason that "until now You have helped us," is because of "Your mercy" and not because of our deeds. And the reason that "You have not forsaken us" is because of "Your kindness." Therefore, we trust that "You shall not abandon us, O Hashem our God, forever."

Were we to believe that everything that God did for us was based on our merits, we would then worry that God might withdraw His goodness in response to any sins that we might commit. However, once we realize that His goodness comes solely as a result of His kindness, we no longer need to fear since His kindness is always

קַיָּמִים תָּמִיד. וְזֶהוּ כְּמוֹ שֶׁאָמַר בַּ״זֹּהַר״ ״וְהֶאֱמִן בַּיְיָ״ (בראשית טו, ו) וְלֹא הָיָה מִתְיָרֵא אֲפִלּוּ שֶׁמָּא יִגְרֹם הַחֵטְא וְהַיְנוּ מִשּׁוּם שֶׁ״וַיַּחְשְׁבֶהָ לּוֹ צְדָקָה״ כְּלוֹמַר כָּל־מַה שֶּׁנּוֹתֵן לוֹ ה׳ הוּא צְדָקָה וְאֵינוֹ בִּשְׁבִילוֹ כְּלָל. וְזֶהוּ ״הִנֵּה אֵל יְשׁוּעָתִי אֶבְטַח וְלֹא אֶפְחָד״ (ישעיה יב, ב) כְּלוֹמַר אֵל שֶׁהוּא מִדַּת הַחֶסֶד כַּאֲשֶׁר בְּחַסְדּוֹ הוּא יְשׁוּעָתִי, אֶבְטַח תָּמִיד וְלֹא אֶפְחַד אֲפִלּוּ שֶׁמָּא יִגְרֹם הַחֵטְא.

ב) הוּא שֶׁמְּבַקֵּשׁ מֵהַקָּדוֹשׁ־בָּרוּךְ־הוּא שֶׁיַּעֲשֶׂה בִּשְׁבִיל מִצְוֹתָיו וַחֲסָדָיו אֲשֶׁר עָשָׂה, כְּמוֹ שֶׁכָּתוּב (בראשית לב, יא) ״קָטֹנְתִּי מִכֹּל הַחֲסָדִים וְגוֹ׳״:, וְלָכֵן ״וַיִּירָא יַעֲקֹב מְאֹד״ שֶׁמָּא יִגְרֹם הַחֵטְא. וְזֶה שֶׁמְּבַקֵּשׁ בִּשְׁבִיל מִצְוֹתָיו הַמְקַטְרְגִים מוֹנְעִים. וְזֶהוּ שֶׁ״בְּאֹרֶךְ אַפַּיִם יְפֻתֶּה קָצִין״ (משלי כה, טו), מֵחֲמַת שֶׁהַקָּדוֹשׁ־בָּרוּךְ־הוּא מַאֲרִיךְ אַף, מֵחֲמַת זֶה יְפֻתֶּה, כִּי יִתְפַּלֵּל אֵלָיו. אַךְ אִם יִתְפַּלֵּל שֶׁיִּתֵּן לְמַעֲנוֹ יִהְיֶה הַרְבֵּה מְקַטְרְגִים. לָכֵן אוֹמֵר ״וְלָשׁוֹן רַכָּה״ כְּשֶׁמְּדַבֵּר תַּחֲנוּנִים וְרַכּוֹת, וְהַיְנוּ שֶׁלֹּא יִתֵּן בִּשְׁבִיל מַעֲשָׂיו, רַק בִּשְׁבִיל חַסְדֵי ה׳ יִתְבָּרַךְ הַמְרֻבִּים. עַל יְדֵי זֶה ״תִּשְׁבָּר גָּרֶם״ שֶׁהֵם הַמְקַטְרְגִים שֶׁלֹּא יִהְיֶה לָהֶם מָקוֹם לְקַטְרֵג כְּלָל, כִּי אֵינוֹ מְבַקֵּשׁ לְפִי מַעֲשָׂיו כְּלָל (ביאור הגר״א משלי כה־טו).

present. This idea is expressed in the *Zohar*. The Torah tells us the response of the elderly Avraham when the Almighty promised him that he would have a son: "He had faith in God" (*Bereshis* 15:6). The *Zohar* explains that Avraham was not afraid at all, not even of the possibility that a future sin would deem him unworthy, since "He considered it to be charity" (ibid.). In other words, Avraham felt that all that God gave him was an act of Divine charity, and not because of his merit. This, too, is the meaning of the verse (*Yeshayahu* 12:2), "Behold, God (*El*) is my salvation; I shall trust and not fear." The attribute of kindness, implied by the name *El*, is my salvation; thus I shall always trust in Him and not be apprehensive, even should a future sin make me unworthy."

2. The second type of prayer is a request that God act on a person's behalf in response to his good deeds and mitzvos. This is the intention of the verse (*Bereshis* 32:11), "I implore You to rescue me even though I have become diminished by the kindness You have done for me." Thus, "Yaakov was very afraid" (ibid. 32:8) that sin might have made him unworthy of God's consideration.

Should a person's requests hinge on the commandments he has fulfilled, Heavenly prosecutors prevent the prayers from being accepted. This is the meaning of the verse (*Mishlei* 25:15), "The ruler is won over by tolerance." Since Hashem is patient, He may be won over by prayer. Should one's prayers, however, be based on personal achievements, many Heavenly prosecutors will oppose him. For this reason the verse ends, "a soft tongue breaks the bone." When one utters supplications softly, his requests are not based on his deeds, but rather stem from God's tremendous kindness. Thus one's prayers "break the bone," which represents the Heavenly prosecutors, and they are powerless to intervene since his prayers are not based on his accomplishments.

(Vilna Gaon)

וְעַיֵּן רַמְבַּ"ן (האמונה והבטחון פרק א') מַה שֶּׁכָּתַב גַּם כֵּן בְּעִנְיַן יַעֲקֹב אָבִינוּ עָלָיו הַשָּׁלוֹם.

יב

הַבּוֹטֵחַ בַּשֵּׁם יִתְבָּרֵךְ אֵינוֹ דוֹאֵג וְאֵינוֹ מְפַחֵד, כְּמוֹ שֶׁכָּתוּב (ישעיה יב, ב) "הִנֵּה אֵל יְשׁוּעָתִי אֶבְטַח וְלֹא אֶפְחָד".

יג

"אֱלֹהִים לָנוּ מַחֲסֶה וָעֹז עֶזְרָה בְצָרוֹת נִמְצָא מְאֹד: עַל־כֵּן לֹא נִירָא בְּהָמִיר אָרֶץ וּבְמוֹט הָרִים בְּלֵב יַמִּים: יֶהֱמוּ יֶחְמְרוּ מֵימָיו יִרְעֲשׁוּ הָרִים בְּגַאֲוָתוֹ סֶלָה" (תהלים מו, ב־ד): מִגָּדֵל מִצְוַת הַבִּטָּחוֹן וְהֶחָסוּת בַּשֵּׁם יִתְבָּרֵךְ שֶׁלֹּא נִירָא וְלֹא נְפַחֵד כְּלָל אַף בְּעֵת צָרָה חָלִילָה.

יד

"אֲנִי שָׁכַבְתִּי וָאִישָׁנָה הֱקִיצוֹתִי כִּי יְיָ יִסְמְכֵנִי" (תהלים ג, ו). הוּא מִמִּצְוַת הַבִּטָּחוֹן שֶׁכָּל־כָּךְ הָיָה בּוֹטֵחַ בַּשֵּׁם, אַף בְּעֵת צָרוֹתָיו הַגְּדוֹלוֹת הָיָה יָשֵׁן לָבֶטַח וְהָיָה קָם בְּבִטָּחוֹן.

טו

תָּנוּ רַבָּנָן מַעֲשֶׂה בְּהִלֵּל הַזָּקֵן שֶׁהָיָה בָּא בַדֶּרֶךְ וְשָׁמַע קוֹל

(See Ramban, *Emunah U'bitachon*, ch. 1, concerning the subject of Yaakov.)

◆ 12 ◆ Never Fear

One who trusts in God will not be afraid, as the prophet said, "Behold, God is my salvation; I shall trust and not fear" (*Yeshayahu* 12:2).

(*Eved Ha-melech*)

◆ 13 ◆ Natural Disaster

"God is a refuge and strength for us, a help in distress, very accessible. Thus we shall not fear when the earth is transformed and the mountains are moved in the midst of the sea, when its waters roar and are troubled, when the mountains shake with the swelling thereof, selah" (ibid. 46:2-4). From these verses we learn how important it is to trust in God at a time of natural disaster.

(*Eved Ha-melech*)

◆ 14 ◆ Sleep Securely

"I lie down and sleep; I awake, for Hashem sustains me." The commandment of *bitachon* should envelop a person to the point that when he is faced with the gravest of problems and worries, his sleep should be secure, and when he awakes the following morning, he should be full of trust.

(*Eved Ha-melech*)

◆ 15 ◆ A Positive View

Gemara Berachos 60a relates the following story: The venerable Hillel was traveling. Upon reaching his home

צְוָחָה בָּעִיר, אָמַר מֻבְטָח אֲנִי שֶׁאֵין זֶה בְּתוֹךְ בֵּיתִי, וְעָלָיו הַכָּתוּב אוֹמֵר (תהלים קיב, ז) "מִשְּׁמוּעָה רָעָה לֹא יִירָא נָכוֹן לִבּוֹ בָּטוּחַ בַּיְיָ", אָמַר רָבָא כָּל הֵיכֵי דְּדָרְשַׁת לֵיהּ לְהַאי קְרָא מֵרֵישֵׁהּ לְסֵיפֵהּ מִדְרִישׁ מִסֵּיפֵהּ לְרֵישֵׁהּ מִדְרִישׁ, מֵרֵישֵׁהּ לְסֵיפֵהּ מִדְרִישׁ "מִשְּׁמוּעָה רָעָה לֹא יִירָא", מַה טַּעַם "נָכוֹן לִבּוֹ בָּטוּחַ בַּה'" מִסֵּיפֵהּ לְרֵישֵׁהּ מִדְרִישׁ "נָכוֹן לִבּוֹ בָּטוּחַ בַּה' מִשְּׁמוּעָה רָעָה לֹא יִירָא" (ברכות ס, א).

מֵרֵישֵׁהּ לְסֵיפֵהּ מִדְרִישׁ, פֵּרוּשׁ כִּי מִצְוַת הַבִּטָּחוֹן הוּא שֶׁלֹּא לִדְאֹג וְלֹא לְפַחֵד כְּלָל, וְזֶהוּ שֶׁאָמַר "מִשְּׁמוּעָה רָעָה לֹא יִירָא" מַה טַּעַם "נָכוֹן לִבּוֹ בָּטוּחַ בַּה'" שֶׁמְּקַיֵּם מִצְוַת הַבִּטָּחוֹן.

מִסֵּיפֵהּ לְרֵישֵׁהּ מִדְרִישׁ, פֵּרוּשׁ "נָכוֹן לִבּוֹ בָּטוּחַ בַּה'", בְּיָדוּעַ שֶׁהַשֵּׁם יִתְבָּרַךְ יַעַזְרֵהוּ מִכָּל צָרָה וְלָכֵן "מִשְּׁמוּעָה רָעָה לֹא יִירָא", וּמְבִיאָה הַגְּמָרָא מַעֲשֶׂה בְּהִלֵּל הַזָּקֵן שֶׁאָמַר מֻבְטָח אֲנִי שֶׁאֵין זֶה בְּתוֹךְ בֵּיתִי, כְּלוֹמַר מִבִּטְחוֹנוֹ הוֹכִיחַ שֶׁאֵין זֶה בְּתוֹךְ בֵּיתוֹ (ספר המדות שער הבטחון פרק חמישי).

טז

"כִּי פַחַד פָּחַדְתִּי וַיֶּאֱתָיֵנִי וַאֲשֶׁר יָגֹרְתִּי יָבֹא לִי" (איוב ג, כד): הִזְהִרְנוּ בָּזֶה שֶׁלֹּא יִהְיֶה הָאָדָם מְפַחֵד אוֹ מִתְאַנֵּחַ וּמִתְעַצֵּב עַל חִנָּם, אֲבָל תָּמִיד יִהְיֶה לִבּוֹ שָׂמֵחַ עָלָיו לַעֲשׂוֹת רְצוֹן הַשֵּׁם יִתְבָּרַךְ וְיִבְטַח בּוֹ וִייַחֵל לוֹ שֶׁבְּרֹב רַחֲמָיו וַחֲסָדָיו יַשְׁפִּיעַ לוֹ תָּמִיד שֶׁפַע בְּרָכָה וְטוֹבָה וְכָל הַצָּרִיךְ לַעֲבוֹדָתוֹ יִתְבָּרַךְ שְׁמוֹ (עבד המלך) ועיין שם בנתיב מצותיך.

town, he heard people screaming. He said to himself, "I am certain that the screaming is not coming from my house, as the verse says, 'He shall not be afraid of evil tidings; his heart is firm, trusting in God' (*Tehillim* 112:7)."

Rabba commented, "This verse may be explained in the order it is written in or nonsequentially, from the end to the beginning. Sequentially, he should not be afraid of evil tidings. What is the reason? Because his heart is firm, trusting in God. Nonsequentially, his heart is firm, trusting in God. Therefore, he should not be afraid of evil tidings.

Sefer Ha-middos (Gate of Trust 5) develops this theme. The sequential meaning is an outgrowth of the commandment to trust in God. Consequently, one should never worry nor become afraid. The nonsequential interpretation begins with trusting in God, knowing full well that He will help and protect one from danger. Therefore, he should not be afraid of evil tidings. The story of Hillel portrays this strong trust whereby he is certain that the screaming cannot be coming from his house.

16 Be Inwardly Happy

Iyov cried out, "For the thing which I had feared is come upon me, and that which I was afraid of has come to me" (*Iyov* 3:24). This verse teaches us that one should not be fearful or lament and become depressed for no reason [as did Iyov]. Instead, one should always be inwardly happy to do the will of his Creator, trusting in Him and waiting for Him to, out of pure kindness and mercy, shower on him blessing and goodness and everything he needs to serve God.

(*Eved Ha-melech*)

יז

הַהוּא תַּלְמִידָא דַּהֲוָה קָא אָזִיל בַּתְרֵהּ דְּרַבִּי יִשְׁמָעֵאל בְּרַבִּי יוֹסֵי בְּשׁוּקָא דְּצִיּוֹן חַזְיֵהּ דְּקָא מִפְחִיד, אָמַר לֵהּ חַטָּאָה אַתְּ דִּכְתִיב (ישעיה לג, י) "פָּחֲדוּ בְצִיּוֹן חַטָּאִים", אָמַר לֵהּ וְהָא כְתִיב (משלי כח, יד) "אַשְׁרֵי אָדָם מְפַחֵד תָּמִיד", אָמַר לֵהּ הַהוּא בְּדִבְרֵי תוֹרָה כְּתִיב. יְהוּדָה בַּר נָתָן הֲוָה שָׁקִיל וְאָזִיל בַּתְרֵהּ דְּרַב הַמְנוּנָא, אִתְנַח, אָמַר לֵהּ יִסּוּרִים בָּעֵי הַהוּא גַּבְרָא לְאֲתוּיֵי אַנַּפְשֵׁהּ דִּכְתִיב (איוב ג, כה) "כִּי פַחַד פָּחַדְתִּי וַיֶּאֱתָיֵנִי וַאֲשֶׁר יָגֹרְתִּי יָבֹא לִי", וְהָא כְתִיב "אַשְׁרֵי אָדָם מְפַחֵד תָּמִיד", הַהוּא בְּדִבְרֵי תוֹרָה כְּתִיב (ברכות ס, א).

יח

כָּתַב רַבֵּנוּ חַיִּים מִוּוֹלוֹזִ'ין: עִנְיָן גָּדוֹל וּסְגֻלָּה נִפְלָאָה לְהָסִיר וּלְבַטֵּל מֵעָלָיו כָּל דִּינִים וּרְצוֹנוֹת אֲחֵרִים שֶׁלֹּא יוּכְלוּ לִשְׁלֹט בּוֹ וְלֹא יַעֲשׂוּ שׁוּם רֹשֶׁם כְּלָל, כְּשֶׁהָאָדָם קוֹבֵעַ בְּלִבּוֹ לֵאמֹר: הֲלֹא הַשֵּׁם הוּא הָאֱלֹקִים הָאֲמִתִּי, וְאֵין עוֹד מִלְּבַדּוֹ יִתְבָּרַךְ שׁוּם כֹּחַ בָּעוֹלָם וּבְכָל הָעוֹלָמוֹת כְּלָל, וְהַכֹּל מָלֵא רַק אַחְדּוּתוֹ הַפָּשׁוּט יִתְבָּרַךְ שְׁמוֹ וּמְבַטֵּל בְּלִבּוֹ בִּטּוּל גָּמוּר וְאֵינוֹ מַשְׁגִּיחַ כְּלָל עַל שׁוּם כֹּחַ וְרָצוֹן בָּעוֹלָם, וּמְשַׁעְבֵּד וּמְדַבֵּק טֹהַר מַחֲשַׁבְתּוֹ רַק לַאֲדוֹן יָחִיד בָּרוּךְ הוּא, כֵּן יַסְפִּיק הוּא יִתְבָּרַךְ בְּיָדוֹ שֶׁמִּמֵּילָא יִתְבַּטְּלוּ מֵעָלָיו כָּל הַכֹּחוֹת וְהָרְצוֹנוֹת שֶׁבָּעוֹלָם שֶׁלֹּא יוּכְלוּ לִפְעֹל לוֹ שׁוּם דָּבָר כְּלָל (נפש החיים שער ג׳ פי״ב).

✺ 17 ✺ Two Types of Fear

One of R. Yishmael's disciples was following his mentor in the Tzion marketplace. R. Yishmael noticed that his disciple suddenly became afraid. "You have committed a sin," he told his disciple, "as the verse says in *Yeshayahu* 33:14, 'The sinners in Tzion are afraid.'"

"But doesn't it say," the disciple asked, "in *Mishlei* 28:14, 'Fortunate is the man who fears always'?"

"Yes," answered R. Yishmael, "but that verse is referring to the fear of forgetting one's learning, which will lead one to constantly review his studies."

(*Berachos* 60a)

✺ 18 ✺ There Is No Force Other than God

There is an incredibly powerful way [writes R. Chayim of Volozhin] that one may remove and nullify all spiritual accusations and hostile thoughts against him to the point that they become powerless, without even leaving a shadow behind. This can happen when a person integrates into his being the following: "Isn't Hashem the true God! There is no power in this world or in any of the higher spiritual worlds which exists outside of Him. Everything is full of his Oneness."

Now he may utterly reject and ignore any foreign power or influence in the world. Instead, his whole mind should be centered on the absolute Oneness of God. Thereby the Almighty will provide his needs and, as if by their own accord, all negative powers and influences of the world will be negated, powerless to do him any harm.

(*Nefesh Ha-chayim*)

יט

אָמַר הַכָּתוּב (תהלים לב, י) "וְהַבּוֹטֵחַ בַּה' חֶסֶד יְסוֹבְבֶנּוּ", וּכְשֶׁהוּא לְהֵפֶךְ שֶׁהוּא מִתְיָרֵא תָּמִיד מִמִּדַּת הַדִּין וּמֵהָעֹנֶשׁ, אָז הוּא מִתְדַּבֵּק עַצְמוֹ בְּדִינִים וְחַס וְחָלִילָה שֶׁלֹּא יָבֹא לוֹ רָעָה כְּמוֹ שֶׁכָּתוּב (ישעיה סו, ד) "וּמְגוּרֹתָם אָבִיא לָהֶם" שֶׁבְּכָל מָקוֹם שֶׁאָדָם חוֹשֵׁב, שָׁם הוּא מִתְדַּבֵּק, וְאִם מְחַשֵּׁב בַּדִּין הוּא מִתְדַּבֵּק בַּדִּין, וּכְשֶׁהוּא בּוֹטֵחַ בְּחֶסֶד הַשֵּׁם שָׁם יְדַבֵּק נִשְׁמָתוֹ וְהַחֶסֶד יְסוֹבְבֶנּוּ וְתָמִיד יַטְמִין אֶת עַצְמוֹ כֻּלּוֹ בַּשֵּׁם יִתְעַלֶּה (הרב המגיד ממזריטש, לקוטים יקרים אות ר"ז).

כ

הַדְּאָגָה וְהַיָּגוֹן הֵם מְכַלִּים הַלֵּב וְהֵם חֳלִי הַגּוּף (שם). הַדּוֹאֵג עַל עוֹלָם הַזֶּה הוּא רָחוֹק מְאֹד מִן הַתּוֹרָה וּמִן הַמִּצְוֹת וּמִן הַתְּפִלָּה, וְאֵין צָרִיךְ לְהַאֲרִיךְ בְּרָעָתָהּ, כִּי כָּל הַטּוֹבוֹת הַבָּאוֹת מִן הַשִּׂמְחָה הֵם הֵפֶךְ בַּדְּאָגָה, וְאַתָּה הִתְבּוֹנֵן (שם).

כא

הַבּוֹטֵחַ בַּשֵּׁם יִתְבָּרֵךְ הוּא תָמִיד שָׂמֵחַ מְאֹד, כְּמוֹ שֶׁכָּתוּב (תהלים לג, כא) "כִּי בוֹ יִשְׂמַח לִבֵּנוּ כִּי בְשֵׁם קָדְשׁוֹ בָטָחְנוּ".

כב

גַּם בְּרֹאשׁ־הַשָּׁנָה מִצְוָה לִהְיוֹת שָׂמֵחַ וְטוֹב לֵב וּבוֹטֵחַ בַּשֵּׁם יִתְבָּרֵךְ שֶׁבְּרֹב רַחֲמָיו וַחֲסָדָיו יוֹצִיא לְצֶדֶק דִּינֵנוּ (עבד המלך; נחמיה ח, ט־י: אַל תִּתְאַבְּלוּ וְאַל תִּבְכּוּ וגו' וְאַל תֵּעָצֵבוּ כִּי חֶדְוַת יְיָ הִיא מָעֻזְּכֶם).

☙ 19 ❧ Tie One's Thoughts to God's Kindness

The Maggid of Mezritch explains the verse, "He who trusts in God will be surrounded by kindness" (*Tehillim* 32:10),to mean that a man's soul clings to that which occupies his thoughts. Should his thoughts be tied to God's judgment, his soul will be judged. When a person trusts in God's attribute of kindness, his soul will cling there, and "kindness will surround him." Therefore, he should constantly immerse himself in thoughts of God.

(Maggid of Mezritch)

☙ 20 ❧ Meditate on the Good

Worry and unhappiness damage the heart and cause physical sickness.

One who worries about the things of this world is very distant from the Torah, the commandments, and prayer. Instead of dwelling on how negative this trait is, one merely needs to realize that only when he is joyous do good things happen to him. This is the very antithesis of worry. Meditate on this.

(*Orchos Tzaddikim*)

☙ 21 ❧ True Happiness

The one who trusts in God is always happy, as the verse says, "Let our hearts rejoice, for we have trusted in His holy name" (*Tehillim* 33:21).

(*Eved Ha-melech*)

☙ 22 ❧ Rejoice on Rosh Hashanah

On Rosh Hashanah, the Day of Judgment, it is proper to rejoice and feel good-hearted. One should trust in God, that in His great love and mercy He will judge us favorably.

(*Eved Ha-melech*)

ן הַטּוּר (או״ח סי׳ תקפ״א): אִיתָא בְּמִדְרָשׁ מִנְהָגוֹ שֶׁל
ָדָם שֶׁיֵּשׁ לוֹ דִּין לוֹבֵשׁ שְׁחוֹרִים וְכוּ׳ לְפִי שֶׁאֵינוֹ
יוֹדֵעַ אֵיךְ יֵצֵא דִּינוֹ, אֲבָל יִשְׂרָאֵל אֵינָם כֵּן לוֹבְשִׁים לְבָנִים
וְכוּ׳, וְאוֹכְלִין וְשׁוֹתִין וּשְׂמֵחִים בְּרֹאשׁ־הַשָּׁנָה, לְפִי שֶׁיּוֹדְעִים
שֶׁהַקָּדוֹשׁ־בָּרוּךְ־הוּא יַעֲשֶׂה לָהֶם נֵס. לְפִיכָךְ נוֹהֲגִין לְסַפֵּר
וּלְכַבֵּס בְּעֶרֶב רֹאשׁ־הַשָּׁנָה וּלְהַרְבּוֹת מָנוֹת בְּרֹאשׁ־הַשָּׁנָה.

כג

אָמַר רַבִּי יִצְחָק הַכֹּל בְּקִוּוּי, יִסּוּרִין בְּקִוּוּי, קְדֻשַּׁת הַשֵּׁם בְּקִוּוּי, זְכוּת אָבוֹת בְּקִוּוּי, תַּאֲוָתוֹ שֶׁל עוֹלָם־הַבָּא בְּקִוּוּי, הֲדָא הוּא דִכְתִיב (ישעיה כו, ח) ״אַף אֹרַח מִשְׁפָּטֶיךָ יְיָ קִוִּינוּךָ לְשִׁמְךָ וּלְזִכְרְךָ תַּאֲוַת נָפֶשׁ״. ״אַף אֹרַח מִשְׁפָּטֶיךָ״ אֵלּוּ יִסּוּרִים. ״לְשִׁמְךָ״, זוֹ קְדֻשַּׁת הַשֵּׁם. ״וּלְזִכְרְךָ״ זוֹ זְכוּת אָבוֹת. ״תַּאֲוַת נָפֶשׁ״, זוֹ תַּאֲוָתוֹ שֶׁל עוֹלָם־הַבָּא. חֲנִינָה בְּקִוּוּי דִכְתִיב (ישעיה לג, ב) ״יְיָ חָנֵּנוּ לְךָ קִוִּינוּ הֱיֵה זְרֹעָם לַבְּקָרִים אַף יְשׁוּעָתֵנוּ בְּעֵת צָרָה״. סְלִיחָה בְּקִוּוּי דִכְתִיב (תהלים קל, ד) ״כִּי עִמְּךָ הַסְּלִיחָה לְמַעַן תִּוָּרֵא״, מַה כְּתִיב בַּתְרֵהּ (שם, ה) ״קִוִּיתִי יְיָ קִוְּתָה נַפְשִׁי וְלִדְבָרוֹ הוֹחָלְתִּי״ (מד״ר ויחי פרשה צ״ח).

הַכֹּל בְּקִוּוּי, כְּלוֹמַר אֲפִלּוּ אֵין הָאָדָם כְּדַאי, זוֹכֶה לְכָל הַמַּתָּנוֹת בִּזְכוּת הַקִּוּוּי הָאֱמוּנָה וְהַבִּטָּחוֹן, וְעַל זֶה אָמַר (בראשית מט, יח) ״לִישׁוּעָתְךָ קִוִּיתִי יְיָ״ (עץ יוסף).

The *Midrash* compares the Jewish People standing before the Heavenly court on Rosh Hashanah to a criminal before the judge. He is dressed in black, because he is uncertain of the outcome of his case. The Jewish People, however, wear [white] festive clothes on the day of their judgment, and eat, drink, and rejoice. They know that God will go beyond the dictates of strict justice and judge them favorably. Therefore, they get a haircut and bathe on the eve of Rosh Hashanah, and serve various foods which symbolize auspicious tidings for the coming year.

(*Tur* 581)

◆23◆ Remain Hopeful

R. Yitzchak said, Everyone should be hopeful. Even if he isn't otherwise worthy, his hopefulness, faith, and trust will be accounted to his credit.

When one is suffering, let him remain hopeful. When one is sanctifying the name of God until death, let him be hopeful. When one prays in the merit of the patriarchs, let him be hopeful. When yearning for the World to Come, remain hopeful. The verse which reflects this is *Yeshayahu* 26:8, "Even when in the path of Your judgments, Hashem, have we longed for You. The desire of our soul is to Your name, and to the remembrance of You." "Your judgments" are sufferings. "To Your name" parallels sanctifying God's name. "The remembrance of You" refers to the patriarchs. "The desire of our soul" alludes to the yearning for the future world.

Finding Divine favor depends on our longing for His help, as the verse states, "O Hashem, be gracious to us, we have waited for You, be their arm every morning, also our salvation at the time of trouble" (*Yeshayahu* 32:2). Divine forgiveness depends upon our longing for His assistance. This is derived from the juxtaposition of the verses: "But there is forgiveness with You in order that

כד

רַבִּי יְהוּדָה פָּתַח: "בְּטַח בַּייָ וַעֲשֵׂה טוֹב שְׁכָן אֶרֶץ וּרְעֵה אֱמוּנָה" (תהלים לז, ג), לְעוֹלָם בַּר־נַשׁ יְהֵא זָהִיר בְּמָארֵהּ וִידַבֵּק לִבֵּהּ בִּמְהֵימְנוּתָא עִלָּאָה בְּגִין דִּיְהֱוֵי שְׁלִים בְּמָארֵהּ, דְּכַד יֶהֱוֵי שְׁלִים בֵּהּ לָא יָכְלִין לְאַבְאָשָׁא לֵהּ כָּל בְּנֵי עָלְמָא (זוהר בהר ק"י).

כה

רַבִּי אַבָּא פָּתַח "בִּטְחוּ בַייָ עֲדֵי עַד כִּי בְּיָהּ יְיָ צוּר עוֹלָמִים" (ישעיה כו, ד) "בִּטְחוּ בַה'" כָּל בְּנֵי עָלְמָא בַּעְיָן לְאִתְתַּקָּפָא בֵּהּ בְּקֻדְשָׁא בְּרִיךְ הוּא וּלְמֶהֱוֵי רַחֲצָנוּ דִּלְהוֹן בֵּהּ וְכוּ'. דָּבָר אַחֵר "בִּטְחוּ בַה' עֲדֵי עַד" כָּל יוֹמוֹי דְּבַר נַשׁ בָּעֵי לְאִתְתַּקָּפָא בֵּהּ בְּקֻדְשָׁא בְּרִיךְ הוּא, וּמַאן דְּשַׁוִּי בֵּהּ בִּטְחוֹנֵהּ וְתֻקְפֵּהּ כִּדְקָא יָאוּת, לָא יָכְלִין לְאַבְאָשָׁא לֵהּ כָּל בְּנֵי עָלְמָא. דְּהָכֵי אָמַר דָּוִד (תהלים כה, ב) "אֱלֹהַי בְּךָ בָטַחְתִּי אַל אֵבוֹשָׁה, אַל יַעַלְצוּ אוֹיְבַי לִי", דְּכָל מַאן דְּשַׁוִּי תֻּקְפֵּהּ בִּשְׁמָא קַדִּישָׁא אִתְקַיֵּם בְּעָלְמָא. מַאי טַעֲמָא, בְּגִין דְּעָלְמָא בִּשְׁמֵהּ קַדִּישָׁא אִתְקַיָּם, הֲדָא הוּא דִּכְתִיב "כִּי בְּיָהּ יְיָ צוּר עוֹלָמִים", צַיַּר עָלְמִין, דְּהָא בִתְרֵין אַתְוָן אִתְבְּרוּן עָלְמִין, עָלְמָא דֵין וְעָלְמָא דְאָתֵי (זוהר וארא כב).

You be feared. I wait for Hashem, my soul waits, and in His word I hope" (*Tehillim* 130:4-5).

(*Midrash Rabbah*)

❧ 24 ❧ "Trust in God and Do Good"

R. Yehudah explained the verse, "Trust in God and do good, that you may dwell in the land and nurture faith" (*Tehillim* 37:3), as follows: A person should always be careful with his Master, and attach his soul to the highest level of faith so that he will be wholly with his Master. Once a person has perfected himself in this, nothing in the world can harm him.

(*Zohar* III:110)

❧ 25 ❧ Constantly Trust in God

R. Abba expounded on the verse, "Trust in God forever, for He is God, the strength of the worlds" (*Yeshayahu* 26:4). "Trust in God" — all of mankind needs to strengthen their trust in God and to rely on Him. Another interpretation: "Trust in God forever" — throughout a man's lifetime, he must reinforce his trust in God. When one places his trust and faith in Him to the degree that he should, no one can harm him. David Ha-melech expressed this idea: "My God, I trusted in You. Let me not be ashamed. Let my enemies not rejoice over me" (*Tehillim* 25:2).

Anyone who puts his trust in the holy name of God will survive. Why is this so? Since the world exists by His holy name, which is inferred from the end of the verse in *Yeshayahu*, "for He is God (*yud-hei*), the strength (*tzur*) of the worlds." *Tzur* may be spelled *tzayar* (former), the One who formed the worlds. With two letters (*yud* and *hei*) He created the worlds, this world and the World to Come.

(*Zohar* II:22)

פֶּרֶק ב

אֱמוּנָה וּבִטָּחוֹן

א

הָאֱמוּנָה וְהַבִּטָּחוֹן הֵם שְׁנֵי דְבָרִים שֶׁהָאֶחָד צָרִיךְ לַחֲבֵרוֹ וְאֵין חֲבֵרוֹ צָרִיךְ לוֹ, שֶׁהָאֱמוּנָה קוֹדֶמֶת לַבִּטָּחוֹן עִמָּהּ וְאֵינָהּ צְרִיכָה לוֹ בְקִיּוּמָהּ, וּלְפִיכָךְ אֵינָהּ מוֹרָה עָלָיו, אֲבָל הַבִּטָּחוֹן הוּא מוֹרֶה עָלֶיהָ שֶׁאִי־אֶפְשָׁר לוֹ לִהְיוֹת קוֹדֵם לָהּ וְלֹא לְהִתְקַיֵּם בִּלְעָדָהּ, וְכָל הַבּוֹטֵחַ יִקָּרֵא מַאֲמִין, אַךְ לֹא כָּל הַמַּאֲמִין יִקָּרֵא בוֹטֵחַ. כִּי הָאֱמוּנָה כְּמוֹ הָאִילָן וְהַבִּטָּחוֹן כְּמוֹ הַפֶּרִי, וְהַפְּרִי לְאוֹת עַל הָאִילָן אוֹ עַל עֵשֶׂב שֶׁגִּדֵּל אֶת הַפְּרִי הַהוּא, וְאֵין הָאִילָן אוֹ הָעֵשֶׂב לְאוֹת עַל הַפֶּרִי, כִּי יֵשׁ אִילָנוֹת שֶׁאֵינָם עוֹשִׂים פְּרִי וְכֵן עֲשָׂבִים הַרְבֵּה, אֲבָל אֵין פְּרִי בְלֹא אִילָן אוֹ עֵשֶׂב. וּלְפִי שֶׁאֵין מִן הַמֻּכְרָח לִהְיוֹת כָּל הַמַּאֲמִין בּוֹטֵחַ אֲבָל הוּא אֶפְשָׁר, וְכָל הַבּוֹטֵחַ מַאֲמִין בְּלֹא סָפֵק, לָכֵן הַכָּתוּב מַזְהִיר תָּמִיד עַל הַבִּטָּחוֹן יוֹתֵר מֵעַל הָאֱמוּנָה (רמב״ן האמונה והבטחון פ״א).

ב

כְּתִיב (תהלים לז, ג) ״בְּטַח בַּיְיָ וַעֲשֵׂה טוֹב שְׁכָן אֶרֶץ וּרְעֵה

2

Faith and Trust

✍ 1 ✍ Two Separate Commandments

Faith and trust are two separate concepts. The latter is
dependent on the former, while the former is independent of the latter. Faith precedes trust, and can exist in
a believer's heart even when he lacks trust, for faith can
exist without trust. Therefore, faith does not indicate the
presence of trust. Trust, however, denotes the existence
of faith, for it is impossible for trust to precede it or to
endure independently.

Anyone who trusts may be called a believer, but not
everyone who believes can be referred to as "one who
trusts." These two concepts may be compared to a fruit
tree. Faith is the tree and trust is the fruit. The fruit is a
sign of the existence of the tree or plant upon which it
grew, yet the tree or plant is not a sign that the fruit came
from there, since many trees and shrubs are fruitless. Fruit,
however, by definition, comes from a tree or shrub.

Every believer may not trust in God (though it is
certainly possible), yet everyone who trusts most certainly
believes in God. Therefore, Scripture cautions us that the
need for trust in God is much greater than the need for
faith.

(Ramban)

✍ 2 ✍ "Trust in God and Do Good"

The verse in *Tehillim* 37:3 says, "Trust in God and do
good, that you may dwell in the land and nurture faith."

31

אֱמוּנָה": "בְּטַח בַּה'" נִצְטַוִּינוּ בָּזֶה לִבְטֹחַ בַּשֵּׁם יִתְבָּרֵךְ, "וַעֲשֵׂה טוֹב" נִצְטַוִּינוּ בָּזֶה עַל קִיּוּם כָּל הַתּוֹרָה לַעֲשׂוֹת כָּל מַה שֶּׁנִּצְטַוִּינוּ. "שְׁכָן אֶרֶץ וּרְעֵה אֱמוּנָה", נִצְטַוִּינוּ בָּזֶה לְהִתְחַזֵּק מְאֹד בֶּאֱמוּנָה שְׁלֵמָה בַּשֵּׁם יִתְבָּרֵךְ וְהַשְׁגָּחָתוֹ הַפְּרָטִית (עבד המלך).

ג

אָמַר הַכָּתוּב (שם) "שְׁכָן אֶרֶץ וּרְעֵה אֱמוּנָה", שֶׁמָּא תֹאמַר בְּשָׁעָה שֶׁאֶתְעַסֵּק בִּמְלַאכְתִּי הֲרֵינִי בָּטֵל מִתּוֹרָה וְעוֹסֵק בְּדִבְרֵי הָרְשׁוּת, עַל־כֵּן אָמַר "וּרְעֵה אֱמוּנָה", כְּלוֹמַר הִתְחַזֵּק וְהִשָּׁמֵר שֶׁיִּהְיוּ כָּל מַעֲשֶׂיךָ בֶּאֱמוּנָה וְתִמָּצֵא שֶׁלֹּא תִהְיֶה בָּטֵל מִן הַטּוֹב אֲפִלּוּ שָׁעָה אֶחָת. וּמִלַּת "וּרְעֵה" הוּא מִלְּשׁוֹן "וְאָהַבְתָּ לְרֵעֲךָ כָּמוֹךָ" וְהוּא צִוּוּי, כְּלוֹמַר הִתְחַבֵּר עִם הָאֱמוּנָה וְהִדָּבֵק בָּהּ, שֶׁהִיא כוֹלֶלֶת כָּל תַּרְיַ"ג מִצְוֹת, כְּמוֹ שֶׁאָמְרוּ (במסכת מכות דף כד ע"א): בָּא חֲבַקּוּק וְהֶעֱמִידָן עַל אַחַת, שֶׁנֶּאֱמַר (חבקוק ב, ד) "וְצַדִּיק בֶּאֱמוּנָתוֹ יִחְיֶה" (רמב"ן האמונה והבטחון פרק א).

ד

כְּתִיב (במדבר כג, כג) "כִּי לֹא נַחַשׁ בְּיַעֲקֹב וְלֹא קֶסֶם בְּיִשְׂרָאֵל כָּעֵת יֵאָמֵר לְיַעֲקֹב וּלְיִשְׂרָאֵל מַה פָּעַל אֵל": אָמַר רַבִּי יִצְחָק כָּל הַמִּתְמִים עַצְמוֹ הַקָּדוֹשׁ־בָּרוּךְ־הוּא מִתְמִים עִמּוֹ

"Trust in God" is a command to have trust in the Almighty. "Do good" is a command to fulfill all the Torah which God commands us. "Dwell in the land and nurture faith" teaches us to strive to reach a complete faith in God and His personal supervision over our lives.

(Eved Ha-melech)

◈ 3 ◈ Trust Is a Constant Commandment

Tehillim 37:3 says, "Dwell in the land and nurture your faith." Perhaps a person might think, "When I'm at my job I am not involved in Torah, but only in worldly matters." For that reason the verse ends, "nurture your faith," as if to say, "strengthen yourself and watch that all your undertakings are done faithfully." Then, you shall not be without goodness for even a moment.

The word "nurture" (*re'eh*) may be understood in the imperative sense as in the verse, "Love your neighbor (*re'acha*) as yourself." One should attach himself to faith, for it encompasses all the 613 commandments. This is the meaning of *Makkos* 24a: Chavakkuk came and established the entire Torah on one axiom, "The righteous man will live by his faith" (*Chavakkuk* 2:4).

(Ramban)

◈ 4 ◈ Divination and Trust

The urge to know the future is strong in man, yet it is prohibited by the Torah. The Talmud (*Nedarim* 32a) discusses the self-restraint exercised by the Jewish People regarding this prohibition, based on the verse, "There is no enchantment in Yaakov, nor is there any divination in Yisrael. In due time Yaakov and Yisrael are told what God has done" (*Bemidbar* 23:23). The time will come

וְכוּ׳ אָמַר רַבִּי הוֹשַׁעְיָה כָּל הַמַּתְמִים עַצְמוֹ שָׁעָה עוֹמֶדֶת לוֹ וְכוּ׳, תָּנֵי אַהֲבָה בְרֵהּ דְרַבִּי זֵירָא כָּל אָדָם שֶׁאֵינוֹ מְנַחֵשׁ מַכְנִיסִין אוֹתוֹ בִּמְחִצָּה שֶׁאֲפִלּוּ מַלְאֲכֵי הַשָּׁרֵת אֵין יְכֹלִין לִכָּנֵס בְּתוֹכָהּ, שֶׁנֶּאֱמַר ״כִּי לֹא נַחַשׁ בְּיַעֲקֹב וְלֹא קֶסֶם בְּיִשְׂרָאֵל כָּעֵת יֵאָמֵר לְיַעֲקֹב וּלְיִשְׂרָאֵל מַה פָּעַל אֵל״ (נדרים לב).

״כָּעֵת יֵאָמֵר לְיַעֲקֹב וּלְיִשְׂרָאֵל מַה פָּעַל אֵל״, שֶׁמַּלְאֲכֵי הַשָּׁרֵת יִשְׁאֲלוּ לְיִשְׂרָאֵל מַה פָּעַל אֵל, לְפִי שֶׁמִּתּוֹךְ שֶׁאֵינָן מְנַחֲשִׁין מַכְנִיסִין אוֹתָן לִמְחִצָּה שֶׁאֵין מַלְאֲכֵי הַשָּׁרֵת יְכוֹלִין לִכָּנֵס בָּהּ, וְנִרְאֶה בְּעֵינַי דְּהָכֵי נַמִּי מִדָּה כְּנֶגֶד מִדָּה שֶׁמִּתּוֹךְ שֶׁאֵינוֹ הוֹלֵךְ לִקְרַאת נְחָשִׁים לֵידַע הָעֲתִידוֹת, אֶלָּא בּוֹטֵחַ בְּהַקָּדוֹשׁ־בָּרוּךְ־הוּא, מִשּׁוּם הָכֵי הַקָּדוֹשׁ־בָּרוּךְ־הוּא מְגַלֶּה לוֹ רָזֵי עוֹלָם שֶׁאֵינָם גְּלוּיִים לְמַלְאֲכֵי הַשָּׁרֵת (ר״ן).

ה

יֵשׁ שְׁנֵי בְנֵי אָדָם עוֹשִׂים דָּבָר אֶחָד, זֶה סוֹגֵר הַדֶּלֶת אוֹ עוֹשֶׂה מִקְלָט וְכַדּוֹמֶה, וְזֶה סוֹגֵר הַדֶּלֶת, אוֹ עוֹשֶׂה מִקְלָט וְכַדּוֹמֶה, זֶה בּוֹטֵחַ בַּסִּבָּה וְסוֹגֵר הַדֶּלֶת וְעוֹשֶׂה מִקְלָט הֲרֵי הוּא אֻמְלָל וְעָנְשׁוֹ גָּדוֹל, זֶה בּוֹטֵחַ בַּשֵּׁם יִתְבָּרֵךְ וְסוֹגֵר הַדֶּלֶת וְעוֹשֶׂה מִקְלָט וּמִתְפַּלֵּל אֶל הַשֵּׁם יִתְבָּרֵךְ שֶׁיַּצִּילֵיהוּ הֲרֵי הוּא מְאֻשָּׁר וּשְׂכַר מִצְוַת הַבִּטָּחוֹן וּמִצְוַת הַתְּפִלָּה בְּיָדוֹ, וְהַשֵּׁם יִתְבָּרֵךְ עוֹזְרוֹ וּמַצִּילוֹ, וְהָבֵן מְאֹד וּזְכֹר זֶה תָּמִיד.

when everyone who is pure-hearted with God will be
elevated to a higher position. Ahavah, the son of R. Zeira,
said, "Everyone who refrains from divination will be granted
access to spiritual domains which even the ministering
angels cannot attain."

The Ran, a medieval commentator, explains that the
reason a person can reach such spiritual heights by not
running to find out what the future holds is because he
trusts in God. Therefore, in equal measure to his trust,
God reveals to him knowledge that is not available to the
angels.

✌ 5 ✌ Locking the Door

There are two types of people, both performing the same
action of locking their door at night, but they are each
doing it for a different reason. One is confident that the
lock is strong and will protect him, while the other locks
his door with a strong trust in God, Who will protect
him. The first person may be held liable for depending
on the physical lock. The other person will be rewarded
for his trust and prayers.

(Eved Ha-melech)

פֶּרֶק ג

תֹּקֶף הַבִּטָּחוֹן

א

כְּתִיב בִּתְהִלִּים (מזמור קכ״א): ״שִׁיר לַמַּעֲלוֹת אֶשָּׂא עֵינַי אֶל הֶהָרִים מֵאַיִן יָבֹא עֶזְרִי: עֶזְרִי מֵעִם יְיָ עֹשֵׂה שָׁמַיִם וָאָרֶץ: אַל יִתֵּן לַמּוֹט רַגְלֶךָ, אַל יָנוּם שֹׁמְרֶךָ: הִנֵּה לֹא יָנוּם וְלֹא יִישָׁן שׁוֹמֵר יִשְׂרָאֵל: יְיָ שֹׁמְרֶךָ, יְיָ צִלְּךָ עַל יַד יְמִינֶךָ: יוֹמָם הַשֶּׁמֶשׁ לֹא יַכֶּכָּה, וְיָרֵחַ בַּלָּיְלָה: יְיָ יִשְׁמָרְךָ מִכָּל רָע, יִשְׁמֹר אֶת נַפְשֶׁךָ: יְיָ יִשְׁמָר צֵאתְךָ וּבוֹאֶךָ מֵעַתָּה וְעַד עוֹלָם״: מִזְמוֹר זֶה כֻּלּוֹ מְדַבֵּר מִתֹּקֶף מִצְוַת הַבִּטָּחוֹן בַּקָּדוֹשׁ-בָּרוּךְ-הוּא וּבְכָל עֵת וּבְכָל זְמַן וּבְכָל מַצָּב שֶׁהוּא, שֶׁהָאָדָם נִמְצָא בוֹ, אַף בְּעֵת דֹּחַק וְצַעַר גָּדוֹל חָלִילָה, יְחַזֵּק בִּטְחוֹנוֹ בַּה׳, וְטוֹב שֶׁיֹּאמַר אָז מִזְמוֹר זֶה בְּהִתְרַגְּשׁוּת לְחַזֵּק בִּטְחוֹנוֹ.

וּלְשׁוֹן מִדְרָשׁ רַבָּה [ע״פ עץ יוסף] (ריש פרשת ויצא) רַבִּי שְׁמוּאֵל בַּר נַחְמָן פָּתַח ״שִׁיר לַמַּעֲלוֹת אֶשָּׂא עֵינַי אֶל הֶהָרִים״, אֶשָּׂא עֵינַי אֶל הַהוֹרִים לַמְּלַפְּנִי [לְרַבּוֹתַי הַמְאַלְּפִים וּמְלַמְּדִים אוֹתִי דַּרְכֵי הַתּוֹרָה] וְלַמְּעַבְּדֵנִי [לַמַּדְרִיכִים אוֹתִי בַּעֲבוֹדַת הַשֵּׁם יִתְבָּרַךְ]. ״מֵאַיִן יָבֹא עֶזְרִי״, אֱלִיעֶזֶר בְּשָׁעָה שֶׁהָלַךְ לְהָבִיא אֶת רִבְקָה מַה כְּתִיב בֵּהּ ״וַיִּקַּח הָעֶבֶד עֲשָׂרָה

3

The Power of Trust

❧ 1 ❧ Never Give Up Hope

A Song of Ascents. I lift up my eyes to the mountains, from where will my help come? My help comes from God, Creator of heaven and earth. He will not let your feet falter, your Guardian will not slumber. Behold, the Guardian of Yisrael neither slumbers nor sleeps. Hashem is your Guardian, God is your shadow at your right hand. The sun will not harm you by day, nor the moon by night. God will protect you from every evil; He will guard your soul. God will potect your comings and goings, from this time and forever.

(Tehillim 121)

This entire psalm portrays the power of *bitachon* in God, and is appropriate to recite anytime and under any circumstances. Even at a time of distress and intense grief, Heaven forbid, one should strengthen his trust in God. Therefore, it is a good practice to recite this psalm with feeling in order to reinforce one's faith.

The *Midrash* expounds this psalm in light of the episode of Yaakov fleeing from his home and going to stay with Lavan. R. Shemuel ben Nachman said, "I lift up my eyes to the mountains (*harim*)," may be reread, "I lift up my eyes to the parents (*horim*) who taught me Torah and to serve God." "From where will my help come?" Yaakov mused. "When Eliezer, my grandfather's servant, was sent to seek a wife for my father, Yitzchak, Scripture tells that 'he took ten camels from his master's herd and set

גְּמַלִּים מִגְּמַלֵּי אֲדֹנָיו וַיֵּלֶךְ וְכָל טוּב אֲדֹנָיו בְּיָדוֹ", אֲנִי לֹא נֶזֶם אֶחָד וְלֹא צָמִיד אֶחָד. רַבִּי חֲנִינָא אָמַר גָּדוֹשׁ שִׁלְּחוֹ. [מִלְּשׁוֹן "לֹא תִתְגּוֹדְדוּ", שִׁלְּחוֹ גָּדוּל וְקֵרֵחַ מִכָּל דָּבָר]. רַבִּי יְהוֹשֻׁעַ בֶּן לֵוִי אָמַר שָׁלַח עִמּוֹ, אֶלָּא שֶׁעָמַד עֵשָׂו וּנְטָלָן מִמֶּנּוּ. חָזַר וְאָמַר מָה אֲנָא מוֹבֵד סִבְרִי מִן בָּרְיִי [וְכִי אֲאַבִּיד וּמְיָאֵשׁ סִבְרִי וְתִקְוָתִי מִבּוֹרְאִי חָלִילָה]. אֶלָּא "עֶזְרִי מֵעִם ה׳, אַל יִתֵּן לַמּוֹט רַגְלֶךָ, אַל יָנוּם שֹׁמְרֶךָ, הִנֵּה לֹא יָנוּם וְלֹא יִישָׁן שׁוֹמֵר יִשְׂרָאֵל, ה׳ שֹׁמְרֶךָ וְגוֹ׳, ה׳ יִשְׁמָרְךָ מִכָּל רָע", מֵעֵשָׂו וּמִלָּבָן. "יִשְׁמֹר אֶת נַפְשֶׁךָ" מִמַּלְאַךְ הַמָּוֶת. "יְיָ יִשְׁמָר צֵאתְךָ וּבוֹאֶךָ מֵעַתָּה וְעַד עוֹלָם".

וְכֵן שָׂרָה אִמֵּנוּ עָלֶיהָ הַשָּׁלוֹם חִזְּקָה עַצְמָהּ בְּדִבְרֵי בִטָּחוֹן בַּשֵּׁם וְלֹא לְהַאֲבִיד הַבִּטָּחוֹן וְהַתִּקְוָה בְּשׁוּם אֹפֶן. וּלְשׁוֹן מִדְרַשׁ רַבָּה (וירא פרשה נג) עַל הַפָּסוּק (חבקוק ג, יז-יח) "וְאֵין יְבוּל בַּגְּפָנִים" זוֹ שָׂרָה וְכוּ׳. "וּשְׁדֵמוֹת לֹא עָשָׂה אֹכֶל", אוֹתָן הַשָּׁדַיִם הַמֵּתִים לֹא עָשׂוּ אֹכֶל וְכוּ׳. חָזְרָה שָׂרָה וְאָמְרָה מָה אֲנִי מוֹבְדָה סִבְרִי מִן בָּרְיִי אֶלָּא "וַאֲנִי בַּיְיָ אֶעֱלוֹזָה אָגִילָה בֵּאלֹהֵי יִשְׁעִי", אָמַר לָהּ הַקָּדוֹשׁ-בָּרוּךְ-הוּא אַתְּ לָא אוֹבְדִית סִבְרִיךְ אַף אֲנָא אֵינִי מוֹבֵד יָת סִבְרִיךְ אֶלָּא "וַה׳ פָּקַד אֶת שָׂרָה".

ב

אָמַר לָהֶם הַקָּדוֹשׁ-בָּרוּךְ-הוּא (לְיִשְׂרָאֵל) בִּטְחוּ בִשְׁמִי וְהוּא עוֹמֵד עֲלֵיכֶם שֶׁנֶּאֱמַר (ישעיה נ, י) "יִבְטַח בְּשֵׁם יְיָ וְיִשָּׁעֵן בֵּאלֹהָיו". וְלָמָּה שֶׁכָּל מִי שֶׁבּוֹטֵחַ בִּשְׁמִי אֲנִי מַצִּילוֹ. תֵּדַע לְךָ שֶׁכֵּן חֲנַנְיָה מִישָׁאֵל וַעֲזַרְיָה בָּטְחוּ בִשְׁמִי וְהִצַּלְתִּי אוֹתָם, שֶׁכֵּן נְבוּכַדְנֶצַּר אוֹמֵר לָהֶם (דניאל ג, כח) "בְּרִיךְ אֱלָהֲהוֹן דִּי-שַׁדְרַךְ מֵישַׁךְ וַעֲבֵד נְגוֹ, דִּי-שְׁלַח מַלְאֲכֵהּ וְשֵׁיזִב לְעַבְדוֹהִי דִּי הִתְרְחִצוּ

out with all his master's valuable possessions' (*Bereshis* 24:10). I, however, am also going to find a wife, yet I don't have even one ring or bracelet."

Yaakov thought: Why should I lose hope in the One who created me? "My help comes from God! He will not let your feet falter, Your Guardian will not slumber. Behold, the Guardian of Yisrael neither slumbers nor sleeps. God will protect you from every evil" — from Esav and Lavan. "He will guard your soul" — from the angel of death. "God will protect your comings and goings from this time and forever."

(Midrash Rabbah)

Similarly, our matriarch Sarah, who was barren most of her life, reinforced herself with words of trust in God so as not, in any way, to lose her hope and faith in God. The *Midrash* elucidates this point as follows: "There is no fruit on the vine" (*Chavakkuk* 3:17) refers to Sarah. "An the fields shall yield no food." "Those withered breasts never produced food (for an infant)..." Then she said, "How can I lose hope in my Creator? Rather, 'I shall rejoice in the Lord, I will find happiness in the God of my salvation' (ibid., 18)." God said to her, "Since you did not lose hope, I shall not cause your trust to be lost." Hence, "God remembered Sarah as He had said, granting her a son" (*Bereshis* 21:1).

◆ 2 ◆ Trust Saves Daniel and His Companions

The Holy One, Blessed be He declared to Yisrael: Trust in My name and it will protect you, as it says in *Yeshayahu* 50:10, "Let him trust in the name of God, and rely upon his God." Why? Because everyone who trusts in My name I shall save. This is precisely what happened to Chananyah, Mishael, and Azaryah, who trusted in Me and I saved them. Even Nevuchadnetzar admitted to them, "Blessed be your God Who has sent His angel and delivered His servants

עֲלוֹהִי", וְכֵן דָּנִיֵּאל בִּשְׁבִיל שֶׁבָּטַח בִּי מִלַּטְתִּיו מִן הַבּוֹר שֶׁנֶּאֱמַר (דניאל ו, כד) "וְהֻסַּק דָּנִיֵּאל מִן גֻּבָּא וְכָל חֲבָל לָא הִשְׁתְּכַח בֵּהּ דִּי הֵימִן בֵּאלָהֵהּ", וְלָמָּה? "דִּי הֵימִן בֵּאלָהֵהּ". אָמַר דָּוִד הוֹאִיל וְכָךְ הוּא הַבִּטָּחוֹן שֶׁכָּל הַבּוֹטֵחַ בְּךָ אַתָּה מַצִּילוֹ, בְּךָ אֲנִי בוֹטֵחַ (מדרש תהלים מזמור ל"א).

ג

רַבִּי חוּנָא מִשְׁתָּעֵי הָדֵין עוּבְדָא [הָיָה מְסַפֵּר מַעֲשֶׂה זֶה] חַד גִּיּוֹר [גֵּר אֶחָד] הֲוָה אִסְטְרוֹלוֹגוּס, חַד זְמַן אָתָא בָעֵי מַפִּיק [פַּעַם אַחַת רָצָה לָצֵאת] אָמַר כְּדוֹן נָפְקִין? [אָמַר בְּלִבּוֹ וְכִי עַכְשָׁו יוֹצְאִים, הֲלֹא סַכָּנָה הִיא לְפִי אִצְטַגְנִינָיו], חָזַר וּמַר כְּלוּם אִדַּבְקַת בַּהֲדָא אֻמָּתָא קַדִּישְׁתָּא לָא לְמִפְרַשׁ מִן אִלֵּין מִלַּיָּא? [חָזַר וְאָמַר כְּלוּם נִתְדַּבַּקְתִּי בָּאֻמָּה הַקְּדוֹשָׁה הַזֹּאת אֶלָּא לִהְיוֹת פָּרוּשׁ מִן דְּבָרִים כָּאֵלֶּה, כְּדִכְתִיב (דברים יח, יד) "וְאַתָּה לֹא כֵן נָתַן לְךָ יְיָ אֱלֹהֶיךָ" שֶׁלֹּא תִשְׁמַע אֶל מְעוֹנְנִים וְאֶל קוֹסְמִים] נְפוּק עַל שְׁמֵהּ דְּבָרְיָין [נֵצֵא בְּשֵׁם בּוֹרְאֵנוּ], קָרִיב לְמִכְסַח [כְּשֶׁנִּתְקָרֵב לִמְקוֹם סַכָּנַת חַיָּה רָעָה, "מִכְסַח" לְשׁוֹן כְּרִיתָה] יָהֵב לֵהּ חֲמָרֵהּ וַאֲכָלֵהּ [וְנִצַּל הוּא]. מַאן גָּרַם לֵהּ דְּיִפֵּל [שֶׁיִּפֹּל בִּמְקוֹם סַכָּנָה] בְּגִין דְּהִרְהֵר [מִשּׁוּם דְּהִרְהֵר תְּחִלָּה שֶׁלֹּא לָצֵאת], מַאן גָּרַם לֵהּ דְּאִשְׁתְּזִיב [שֶׁנִּצַּל] בְּגִין דְּאִתְרְחִיץ עַל בָּרְיֵהּ [מִפְּנֵי שֶׁבָּטַח בְּבוֹרְאוֹ] וְכוּ׳. כָּל הַמְנַחֵשׁ סוֹפוֹ לָבֹא עָלָיו, וּמַה טַעְמָא? "כִּי לֹא נַחַשׁ בְּיַעֲקֹב", כִּי לוֹ נַחַשׁ (ירושלמי שבת פרק ששי הלכה ט).

ד

"גֹּל אֶל יְיָ יְפַלְּטֵהוּ יַצִּילֵהוּ כִּי חָפֵץ בּוֹ" (תהלים כב, ט): נִצְטַוֵּינוּ בָּזֶה לִבְטֹחַ בַּשֵּׁם יִתְבָּרַךְ וְשֶׁיִּהְיֶה הָאָדָם מֵסִיר מֵעָלָיו כָּל דַּאֲגוֹתָיו, וְיַשְׁלִיךְ כָּל מַשָּׂאוֹ וְהִצְטָרְכוּתוֹ כִּבְיָכוֹל עַל הַשֵּׁם יִתְבָּרַךְ (עבד המלך).

who trusted in Him" (*Daniel* 3:28).

Similarly, I saved Daniel from the lions' den because he trusted in Me, as it says, "So Daniel was taken out of the den, and no wound was found upon him; for he trusted in his God" (ibid. 6:24). Why? "For he trusted in his God."

David Ha-melech likewise proclaimed, "Since this is the essence of trust — that all who trust in You, You save — I will trust in You.

(*Midrash Tehillim*)

≈ 3 ≈ Proselyte's Trust

R. Huna related the following incident. A convert to Judaism had been an astrologer. Once, when about to embark on a journey, he thought, Should I depart under such unfavorable astrological conditions? He reconsidered and said, "Didn't I join this holy people in order to separate myself from such things? Let me go in the name of my Creator." While traveling he came to a place where his life was threatened by dangerous animals. He gave them his donkey as prey and they ate it, and thus he survived.

What caused him to become endangered? His astrological calculations. What caused him to be saved? His trust in his Creator.

(*Talmud Yerushalmi*)

≈ 4 ≈ Cast Your Burdens on Him

"One who casts his burdens upon Hashem — He shall deliver him. He shall save him, for He delights in him" (*Tehillim* 22:9). This verse teaches us to trust in the Almighty, and to remove all worries that we may have and cast them and all other burdens on Hashem.

(*Eved Ha-melech*)

ה

"עֵינַי תָּמִיד אֶל יְיָ כִּי הוּא יוֹצִיא מֵרֶשֶׁת רַגְלָי" (תהלים כה, טו): הוּא מִמִּצְוַת הַבִּטָּחוֹן שֶׁתָּמִיד עֵינַי וְלִבִּי מְכֻוָּן אֶל הַשֵּׁם יִתְבָּרַךְ שֶׁיַּעַזְרֵנִי וְיוֹשִׁיעֵנִי.

ו

"קַוֵּה אֶל יְיָ חֲזַק וְיַאֲמֵץ לִבֶּךָ וְקַוֵּה אֶל יְיָ" (תהלים כז, יד): נִצְטַוִּינוּ בָּזֶה לִבְטֹחַ בַּקָּדוֹשׁ־בָּרוּךְ־הוּא וּלְהִתְחַזֵּק לְהוֹסִיף בִּטָּחוֹן גָּמוּר וְשָׁלֵם בַּקָּדוֹשׁ־בָּרוּךְ־הוּא (עבד המלך).

ז

"חִזְקוּ וְיַאֲמֵץ לְבַבְכֶם כָּל הַמְיַחֲלִים לַייָ" (תהלים לא, כה): נִצְטַוִּינוּ בָּזֶה לְהִתְחַזֵּק וּלְהִתְאַמֵּץ בְּבִטָּחוֹן גָּמוּר וְשָׁלֵם בַּקָּדוֹשׁ־בָּרוּךְ־הוּא (עבד המלך).

ח

"גֹּל עַל יְיָ דַּרְכֶּךָ וּבְטַח עָלָיו וְהוּא יַעֲשֶׂה: וְהוֹצִיא כָאוֹר צִדְקֶךָ וּמִשְׁפָּטֶךָ כַּצָּהֳרָיִם" (תהלים לז, ה־ו): נִצְטַוִּינוּ בָּזֶה לִבְטֹחַ בַּשֵּׁם יִתְבָּרַךְ וְשֶׁיִּהְיֶה הָאָדָם מֵסִיר מֵעָלָיו כָּל דַּאֲגוֹתָיו וְיַשְׁלִיךְ כָּל מַשָּׂאוֹ וְהִצְטָרְכוּתוֹ כִּבְיָכוֹל עַל הַשֵּׁם יִתְבָּרַךְ (עבד המלך).

✌ 5 ✌ Always Think of God

"My eyes are constantly toward God, for He shall pull my feet out of the snare" (ibid. 25:15). This verse, too, expresses the commandment of *bitachon*, indicating that one should always have his eyes and heart turned toward God for help.

(*Eved Ha-melech*)

✌ 6 ✌ Reinforce One's Trust

"Hope in Hashem. Be strong and let your heart take courage. Hope in Hashem" (*Tehillim* 27:14).

This verse commands us to trust in God, and to work on increasing this trust to the fullest.

(*Eved Ha-melech*)

✌ 7 ✌ Further Reinforcement

Tehillim 31:25 denotes the same theme. "Be strong and let your hearts take courage, all you who hope in Hashem."

✌ 8 ✌ Cast Everything on God

"Commit your way to Hashem, trust in Him and He will bring it to pass. He shall reveal your righteousness as the light, and your judgment like the noonday" (*Tehillim* 37:5-6). These verses teach us to trust in God, and to remove all worries and burdens from oneself and cast them on the Almighty.

(*Eved Ha-melech*)

ט

"דּוֹם לַיְיָ וְהִתְחוֹלֵל לוֹ" (תהלים לז, ז). נִצְטַוִּינוּ בָּזֶה לִבְטֹחַ בַּשֵּׁם יִתְבָּרַךְ וּלְצַפּוֹת לִישׁוּעָתוֹ (עבד המלך). "דּוֹם לַשֵּׁם וְהִתְחוֹלֵל לוֹ", מָה הִתְחוֹלֵל לוֹ, צַפֵּה לַקָּדוֹשׁ־בָּרוּךְ־הוּא, כְּעִנְיָן שֶׁנֶּאֱמַר (שם מב, ו) "מַה תִּשְׁתּוֹחֲחִי נַפְשִׁי וַתֶּהֱמִי עָלָי הוֹחִילִי לֵאלֹהִים" (מד"ר דברים פרשה א).

י

"קַוֵּה אֶל יְיָ וּשְׁמֹר דַּרְכּוֹ וִירוֹמִמְךָ לָרֶשֶׁת אָרֶץ בְּהִכָּרֵת רְשָׁעִים תִּרְאֶה" (תהלים לז, לד): נִצְטַוִּינוּ בָּזֶה לִבְטֹחַ בַּקָּדוֹשׁ־בָּרוּךְ־הוּא, וְהֻזְהַרְנוּ בָּזֶה עַל קִיּוּם כָּל הַתּוֹרָה לִהְיוֹת נִזְהַר מִכָּל מַה שֶּׁהֻזְהַרְנוּ וְלַעֲשׂוֹת כָּל מַה שֶּׁנִּצְטַוִּינוּ (עבד המלך).

יא

הַבּוֹטֵחַ בַּשֵּׁם יִתְבָּרַךְ עוֹסֵק בַּתּוֹרָה וּמִצְוֹת בְּכָל לִבּוֹ בְּלִי שׁוּם הִרְהוּר כְּלָל (רח"ו שערי קדושה ח"ב).

יב

אָמַר הַקָּדוֹשׁ־בָּרוּךְ־הוּא הֱווּ יוֹדְעִים בְּמִי אַתֶּם בּוֹטְחִים בְּמִי שֶׁבָּרָא שְׁנֵי עוֹלָמִים בִּשְׁתֵּי אוֹתִיּוֹת שֶׁנֶּאֱמַר (ישעיה כו ד) "בְּיָהּ יְיָ צוּר עוֹלָמִים" הָעוֹלָם הַזֶּה וְעוֹלָם הַבָּא, הָעוֹלָם הַזֶּה נִבְרָא בְּהֵ"א, וְכֵן הוּא אוֹמֵר (בראשית ב, ד) "אֵלֶּה

❧ 9 ❧ Patience Is the Key

"Be silent with God, and wait patiently for Him" (ibid. 37:7). One should always trust in God, and wait for His salvation.

(Eved Ha-melech)

The *Midrash* asks: What is the meaning of "wait patiently for Him"? We are to hope in the Holy One, blessed be He, as we find in the verse (ibid. 42:6), "Why are you downcast, my soul, and why are you disturbed on my account? Hope in God!"

(Midrash Rabbah)

❧ 10 ❧ Trust and Keep the Torah

A third verse on *bitachon* is found in *Tehillim* 37:34. "Hope in God and keep His way, and He shall exalt you to inherit the land. When the wicked are cut off, you shall see it." This teaches us to trust in God while being scrupulous in the observance of all the commandments of the Torah.

(Eved Ha-melech)

❧ 11 ❧ Undistracted

One who genuinely trusts in God will study Torah and perform the commandments wholeheartedly without the slightest mental distraction.

(Shaarei Kedushah)

❧ 12 ❧ "All the Worlds"

God said, "Know in Whom you place your trust, in the One Who created two worlds with two letters of the Hebrew alphabet, as it says, 'In God (*yud-hei*) is the rock

תּוֹלְדוֹת הַשָּׁמַיִם וְהָאָרֶץ בְּהִבָּרְאָם" בְּהֵ"א בְּרָאָם, וְהָעוֹלָם הַבָּא נִבְרָא בְּיוּ"ד לְפִיכָךְ "כִּי בְּיָהּ יְיָ צוּר עוֹלָמִים" (מדרש תהלים מזמור ס"ב).

וְזֶה לְשׁוֹן הַגְּמָרָא (מנחות כט, א): כָּל הַתּוֹלֶה בִּטְחוֹנוֹ בְּהַקָּדוֹשׁ־בָּרוּךְ־הוּא הֲרֵי לוֹ מַחֲסֶה בָּעוֹלָם הַזֶּה וּלְעוֹלָם הַבָּא.

יג

הַבּוֹטֵחַ בֵּאלֹקִים לֹא יֶאֱבַל בְּהִמָּנַע בַּקָּשָׁה וְלֹא בְּהִפָּקֵד אָהוּב, וְלֹא יֶאֱצֹר הַנִּמְצָא, וְאֵינֶנּוּ דוֹרֵשׁ לְיוֹתֵר מִטֶּרֶף יוֹמוֹ וְלֹא יַעֲלֶה עַל לִבּוֹ מַה יִּהְיֶה לְמָחֳרָתוֹ מִפְּנֵי שֶׁאֵינוֹ יוֹדֵעַ עֵת בֹּא קִצּוֹ, וּבוֹטֵחַ בֵּאלֹקִים לְהַאֲרִיךְ לוֹ בּוֹ וּלְהַזְמִין טַרְפּוֹ וּמְזוֹנוֹ בּוֹ (חובת הלבבות שער הבטחון פ"ה).

יד

אִם הָיָה לוֹ בִּטָּחוֹן עַל חוֹלֶה שֶׁיִּתְרַפֵּא, לִפְרֹעַ חוֹבוֹ בִּזְמַנּוֹ, לַעֲבֹר הַדֶּרֶךְ לְשָׁלוֹם וְלִבְרָכָה וְכַדּוֹמֶה לָזֶה, וְלֹא עָלְתָה לוֹ כְּפִי בִטְחוֹנוֹ, הֲרֵי שְׂכָרוֹ עַל מִצְוַת הַבִּטָּחוֹן שָׁמוּר לוֹ כְּמוֹ שְׂכַר מִצְוַת הֲנָחַת תְּפִלִּין וִישִׁיבָה בַּסֻּכָּה וּשְׁמִירַת שַׁבָּת, וְעַל הָעִנְיָן שֶׁאֵרַע לוֹ חָלִילָה הֲרֵי הוּא מַצְדִּיק דִּינוֹ יִתְעַלֶּה וּמְקַיֵּם מַה שֶּׁנֶּאֱמַר (דברים ח, ה) "וְיָדַעְתָּ עִם לְבָבֶךָ כִּי כַּאֲשֶׁר יְיַסֵּר אִישׁ

of all the worlds' — this world and the future world." This world was created with the letter *hei*, as Scripture says, "These are the generations of heaven and earth when they were created" (*Bereshis* 2:4). The Hebrew word for "they were created" has a superfluous *hei* which hints at the creation of this world.

The future world will be created with the letter *yud*. Therefore, "In God (*yud-hei*) is the rock of all the worlds."

Whoever places his trust in the Holy One, blessed be He will find himself protected in this world and the next.

(*Menachos* 29a)

13 Full Trust

The author of *Chovos Ha-levavos* summarizes the stature of one who places his full trust in God: Such a person is not upset when his request goes unmet, nor by the passing of a loved one. He doesn't hoard things, nor does he expect more than his daily portion of food. He never worries about the future, since who can know when his end will be. Still he trusts that God will grant him life and provide his physical needs.

(*Chovos Ha-levavos*)

14 Love God with All Your Heart

If a person trusts that he will recover from an illness by a certain time, or that he will successfully complete a journey, and in the end things do not work out as he expected, still he will receive a reward for his trust in the same way that God rewards a person for fulfilling the commandment of *tefillin*, or sitting in a *sukkah*, or keeping the Sabbath holy.

Concerning the tragic outcome of an illness or trip,

אֶת בְּנוֹ, יְיָ אֱלֹהֶיךָ מְיַסְּרֶךָּ״: נִצְטַוִּינוּ בָּזֶה לְצַדֵּק אֶת הַדִּין עַל כָּל מְאֹרָע וְיֵדַע וְיַאֲמִין שֶׁכָּל הַבָּא עָלָיו הוּא לְטוֹבָתוֹ כְּרַחֲמֵי אָב עַל בְּנוֹ, וְיֵיטִיב מַעֲשָׂיו וִישַׁפֵּר דְּרָכָיו (עבד המלך).

וּמִצְוַת ״וְאָהַבְתָּ אֵת יְיָ אֱלֹהֶיךָ בְּכָל לְבָבְךָ וּבְכָל נַפְשְׁךָ וּבְכָל מְאֹדֶךָ״: נִצְטַוִּינוּ בָּזֶה שֶׁאַהֲבָתֵנוּ לַשֵּׁם יִתְבָּרֵךְ תִּהְיֶה אַהֲבָה מְלֵאָה וּשְׁלֵמָה, וּבְכָל אֹפֶן שֶׁיִּתְנַהֵג עִמָּנוּ בֵּין בְּמִדַּת הַחֶסֶד בֵּין בְּמִדַּת הַדִּין נוֹסִיף לוֹ אַהֲבָה וּנְקַבְּלֵם בְּשִׂמְחָה. וּבֵין עַל הָרָעָה וּבֵין עַל הַטּוֹבָה נוֹדֶה לוֹ יִתְעַלֶּה וּנְהַלְּלוֹ וּנְשַׁבְּחוֹ בְּלֵב שָׁלֵם וְשָׂמֵחַ (עבד המלך ואתחנן ו, ה).

one must accept willingly the Divine judgment, and fulfill what the verse says, "You know in your heart that just as a father chastises his son, so Hashem your God chastises you" (*Devarim* 8:5). We are commanded by the Torah to accept Divine judgment in everything that befalls us. We are called upon to believe that everything that happens is really for our good, just as a father will always shows mercy on his son, and only chastise him for his son's betterment.

The commandment to "Love Hashem your God with all your heart, and with all your soul, and with all your might," implies total and complete love of God. No matter how He treats us — whether kindly or sternly — we can only love Him more and accept with joy what He gives us. Whether He gives us what appears (in our own eyes) to be bad for us or what appears to be good for us, we must thank Him and praise Him with a perfect heart, joyously.

(*Eved Ha-melech*)

פֶּרֶק ד

בִּטָּחוֹן וְהִשְׁתַּדְּלוּת

א

דַּע כִּי מִצְוַת הַבִּטָּחוֹן אֵינָהּ אוֹסֶרֶת לְאָדָם מִלַּעֲשׂוֹת סִבּוֹת וְהִשְׁתַּדְּלוּת, וְאֵין סִבּוֹת וְהִשְׁתַּדְּלוּת סְתִירָה לְמִצְוַת הַבִּטָּחוֹן.

ב

כְּתִיב (משלי כא, ל־לא) "אֵין חָכְמָה וְאֵין תְּבוּנָה וְאֵין עֵצָה לְנֶגֶד יְיָ: סוּס מוּכָן לְיוֹם מִלְחָמָה וְלַייָ הַתְּשׁוּעָה": הַחָכְמָה וְהַתְּבוּנָה וְהָעֵצָה אֵין כֹּחַ בָּהֶם לְבַטֵּל הַגְּזֵרוֹת, כְּעִנְיָן שֶׁנֶּאֱמַר (תהלים קכז, א) "אִם יְיָ לֹא יִבְנֶה בַיִת שָׁוְא עָמְלוּ בוֹנָיו בּוֹ".

וְעִנְיָן מַה שֶּׁאָמַר (משלי כא, כב) "עִיר גִּבֹּרִים עָלָה חָכָם וַיֹּרֶד עֹז מִבְטֶחָה" רוֹצֶה לוֹמַר שֶׁמְּגַלְגְּלִין הַזְּכוּת וְהַנִּצָּחוֹן עַל־יְדֵי הַחָכְמָה, וְכֵן מְגַלְגְּלִין אוֹתוֹ עַל־יְדֵי הַגְּבוּרָה וְהַמִּלְחָמָה כַּאֲשֶׁר יַזְכִּיר בַּפָּסוּק הַבָּא אַחֲרָיו "סוּס מוּכָן לְיוֹם מִלְחָמָה וְלַייָ הַתְּשׁוּעָה": נִסְמָךְ לְמַה שֶּׁהִזְכִּיר לְמַעְלָה "כִּי אֵין חָכְמָה לְנֶגֶד ה'". וְעַתָּה יֹאמַר כִּי שֶׁקֶר הַגְּבוּרָה לִתְשׁוּעָה כְּנֶגֶד הַגְּזֵרָה וְאֵין הַתְּשׁוּעָה בִּלְתִּי לַשֵּׁם לְבַדּוֹ. וּבֵאוּר עִנְיַן "סוּס

4

Trust and Individual Effort

⋑ 1 ⋖ Trust and Effort Are Not Contradictory

The commandment to trust does not prevent a person from trying to make every personal effort he can. And conversely, making an effort and taking the initiative does not contradict the precept of trust.

(Eved Ha-melech)

⋑ 2 ⋖ Deliverance Is from God Alone

"There is no wisdom nor intelligence nor counsel that can oppose God. A horse is prepared for the day of battle, but deliverance is from God" (*Mishlei* 21: 30-31). Apparently, personal effort, referred to as wisdom, intelligence, and counsel, have no power to annul a decree, as indicated by the verse (*Tehillim* 127:1), "If God will not build the house, vain are those who toil to build it."

The idea that "A wise man scales the city of the mighty and casts down the stronghold in which it trusts" (*Mishlei* 21:22) means that God may bring about benefit and victory through wisdom. Likewise, He may bring it about through valor and warfare, as it says, "A horse is prepared for the day of battle, but deliverance is from God." This, in turn, is related to what is mentioned earlier in the verse, "There is no wisdom...that can oppose God," followed by the false ability of might to save one from a Divine decree, for all deliverance comes solely from God.

The explanation of "a horse is prepared for the day

51

מוּכָן לְיוֹם מִלְחָמָה" כִּי חַיָּבִין בְּנֵי אָדָם לְהִשָּׁמֵר לְנַפְשׁוֹתֵיהֶם וּלְהָכִין סוּס וּכְלֵי־זַיִן לְיוֹם מִלְחָמָה וְהַשֵּׁם יִתְבָּרַךְ יוֹשִׁיעַ וְיָחֹן אֶת אֲשֶׁר יָחֹן (רבינו יונה).

ג

הָאָדָם צָרִיךְ לַעֲשׂוֹת בְּדֶרֶךְ הַטֶּבַע כָּל מַה שֶּׁבְּכֹחוֹ, כְּמִי שֶׁרוֹצֶה לָלֶכֶת בְּמִלְחָמָה עַל אוֹיְבָיו שֶׁרָאוּי שֶׁיָּכִין לוֹ כְּלֵי־זַיִן וְסוּסִים וּמֶרְכָּבוֹת לְיוֹם מִלְחָמָה, שֶׁאִם אֵינוֹ מֵכִין וְיִסְמֹךְ עַל הַנֵּס יִמָּסֵר בְּיַד אוֹיְבָיו, אוֹ כְּמִי שֶׁיֵּשׁ לוֹ חוֹלֶה, שֶׁהוּא רָאוּי לְתַקֵּן לוֹ מִסְעָדִים וְסַמִּים לְמַאֲכָלוֹ וּמַאֲכִילוֹ הַמַּאֲכָלִים הַמּוֹעִילִים וְלִמְנֹעַ מִמֶּנּוּ הַמַּאֲכָלִים הַמַּזִּיקִים, וְאַחַר שֶׁעָשָׂה לוֹ כָּל יְכָלְתּוֹ וְהִשְׁתַּדֵּל בְּכָל כֹּחוֹ וְעָשָׂה בְּדֶרֶךְ הַטֶּבַע כָּל הֲכָנוֹתָיו, אֵין רָאוּי לוֹ לִבְטֹחַ שֶׁיַּגִּיעַ אֶל רְצוֹנוֹ, רַק בַּשֵּׁם יִתְעַלֶּה, לֹא בַהֲכָנוֹת הָאֵלֶּה, כִּי יֵשׁ אָדָם שֶׁיֹּאבַד בַּמִּלְחָמָה עִם כָּל הַהֲכָנוֹת וְיֵשׁ שֶׁיִּנָּצֵל מִבַּלְעֲדֵיהֶם, וְיֵשׁ חוֹלֶה שֶׁתַּגִּיעַ לוֹ רְפוּאָה עִם הַמַּאֲכָלִים הָרָעִים הַמַּזִּיקִים, וְאֵין עִקַּר הַתְּשׁוּעָה בְּעִנְיַן הַמִּלְחָמָה וְלֹא בְעִנְיַן הָרְפוּאָה בַּהֲכָנוֹתֵיהֶם, רַק בַּשֵּׁם יִתְעַלֶּה, שֶׁכֵּן כָּתוּב (תהלים קמז, ג) "הָרוֹפֵא לִשְׁבוּרֵי לֵב וּמְחַבֵּשׁ לְעַצְּבוֹתָם". וּכְתִיב (שם י־יא) "לֹא בִגְבוּרַת הַסּוּס יֶחְפָּץ לֹא בְשׁוֹקֵי הָאִישׁ יִרְצֶה: רוֹצֶה יְיָ אֶת יְרֵאָיו אֶת הַמְיַחֲלִים לְחַסְדּוֹ", וּכְתִיב (שם לג, טז־יט) "אֵין הַמֶּלֶךְ נוֹשָׁע בְּרָב־חָיִל, גִּבּוֹר לֹא יִנָּצֵל בְּרָב־כֹּחַ: שֶׁקֶר הַסּוּס לִתְשׁוּעָה וּבְרֹב חֵילוֹ לֹא יְמַלֵּט: הִנֵּה עֵין יְיָ אֶל יְרֵאָיו לַמְיַחֲלִים לְחַסְדּוֹ: לְהַצִּיל

of battle" is a declaration that a person should guard himself and take the necessary precautions — a horse and weapons — for the day of battle. Yet, it is God who will save and show favor to whom He wishes to favor.

(Rabbenu Yonah)

❧ 3 ☙ Safeguards Are Valuable

A man must take every precautionary measure in the physical realm that is in his power. When preparing for a battle against his enemy, one should assemble the necessary weapons and field armaments for the day of the war. Should he fail to do so, relying instead on a miracle, he will fall into the enemies' hand.

This is like someone who is experienced at preparing the necessary foods and medicines for a sick friend, feeding him in the proper way, and taking safeguards not to include foods that could harm him. Even after he has gone to all this trouble — all of it in the realm of natural healing — it is not appropriate to rely on his own actions. Instead, he should trust in God, and not in these preparations. This is because there have been men lost in battle in spite of their preparations, while others have survived without them. Also, some sick people have recovered in spite of the harmful foods they ate.

Therefore, the critical lifesaving factor in warfare or in medicine is not what one has prepared, but God's will. This theme is repeated numerous times in the Torah: "He is the Healer of the brokenhearted, and the One who binds up their sorrows" (*Tehillim* 147:3); "Not in the strength of the horse does He desire, and not in the legs of man does He favor, Hashem favors those who fear Him, in those who hope in His steadfast love" (ibid. 147:10-11); "A king is not saved by a great army, nor is a hero rescued by great strength. False is the horse for salvation

מִמָּוֶת נַפְשָׁם וּלְחַיּוֹתָם בָּרָעָב״: (רבינו בחיי ריש פרשת שלח).

ד

כְּתִיב (תהלים קמו, ג־ה) ״אַל תִּבְטְחוּ בִנְדִיבִים, בְּבֶן אָדָם שֶׁאֵין לוֹ תְשׁוּעָה: תֵּצֵא רוּחוֹ יָשֻׁב לְאַדְמָתוֹ, בַּיּוֹם הַהוּא אָבְדוּ עֶשְׁתֹּנֹתָיו: אַשְׁרֵי שֶׁאֵל יַעֲקֹב בְּעֶזְרוֹ, שִׂבְרוֹ עַל יְיָ אֱלֹהָיו״: הִזְהִרְנוּ בָזֶה שֶׁלֹּא לִבְטֹחַ בְּאָדָם וְלֹא יִהְיֶה בְלִבֵּנוּ שׁוּם סְמִיכָה וּבִטָּחוֹן לְעֶזְרַת וִישׁוּעַת אָדָם, אֲבָל נִבְטַח בַּקָּדוֹשׁ־בָּרוּךְ־הוּא שֶׁהוּא עוֹשֶׂה כֹּל, וּמַשְׁגִּיחַ עַל כֹּל, וּמְרַחֵם אֶת כֹּל, וְנוֹתֵן מִחְיָה וְכָל דָּבָר לַכֹּל. וְנֵדַע וְנַאֲמִין שֶׁכָּל דָּבָר וְדָבָר הַבָּא לְיָדֵינוּ הַכֹּל הוּא מֵאִתּוֹ יִתְעַלֶּה. וְאֵלָיו יִהְיוּ עֵינֵינוּ וְלִבֵּנוּ צוֹפוֹת וּמְיַחֲלוֹת עַל כָּל דָּבָר וְדָבָר.

ה

רְצוֹנְכֶם פְּרַקְלִיט שֶׁהוּא עוֹמֵד לְעוֹלָם, בִּטְחוּ בוֹ בְּכָל עֵת וְאַתֶּם עוֹמְדִים, שֶׁנֶּאֱמַר (תהלים קמו, ה) ״אַשְׁרֵי שֶׁאֵל יַעֲקֹב בְּעֶזְרוֹ, שִׂבְרוֹ עַל יְיָ אֱלֹהָיו״: אִם אַתֶּם יוֹדְעִים בְּמִי אַתֶּם בּוֹטְחִים, בְּמִי שֶׁעָשָׂה שָׁמַיִם וָאָרֶץ. מִשֶּׁמָּתַחְתִּי אֶת הַשָּׁמַיִם וְהִרְקַעְתִּי אֶת הָאָרֶץ שֶׁמָּא זָזוּ מִמְּקוֹמָן, כָּךְ מִי שֶׁהוּא בוֹטֵחַ בִּי אֵין שִׂבְרוֹ פּוֹסֵק לְעוֹלָם, לְכָךְ נֶאֱמַר ״אַשְׁרֵי שֶׁאֵל יַעֲקֹב בְּעֶזְרוֹ

— despite its great strength it provides no escape. Behold, the eye of God is on those who fear Him, upon those who await His kindness. To rescue their soul from death, and to sustain them in famine" (ibid. 33:16-19).

(Rabbenu Bachya)

≈ 4 ≈ Trust Not in Man

In *Tehillim* 146:3-5 it says, "Trust not in princes, nor in man, in whom there is no help. When his breath departs he returns to the earth, on that very day his plans perish. Fortunate is the one whose help is the God of Yaakov, whose hope is Hashem his God."

These verses are a warning to us not to trust in man, nor even to harbor in our hearts any reliance upon man and his ability to help and save us. Rather, we are to trust in the Holy One, blessed be He and realize that He can do everything, that He supervises everything and deals mercifully, giving nourishment and all the necessities of life to everyone. We are to realize and believe that everything that comes into our grasp is from God. Our eyes and heart gaze and hope in Him.

(*Eved Ha-melech*)

≈ 5 ≈ Trust in God at All Times

If you would like a defender that will stand forever, trust in Him at all times, as it says (*Tehillim* 146:5), "Fortunate is the one whose help is the God of Yaakov, whose hope is Hashem his God" — for then you shall endure.

Do you realize in Whom you are trusting? In the One Who made heaven and earth. From the time that I stretched out the heavens and spread forth the earth, have they shifted from their place? So, too, when someone trusts in Me, his reward will never cease. Thus the verses allude to this theme. "Fortunate is the one whose help is the God of

שִׂבְרוֹ עַל יְיָ אֱלֹהָיו": מַה כְּתִיב אַחֲרָיו "עֹשֶׂה שָׁמַיִם וָאָרֶץ אֶת הַיָּם וְאֶת כָּל אֲשֶׁר בָּם וְגוֹ'" (מדרש תהלים).

ו

"אַשְׁרֵי שֶׁאֵל יַעֲקֹב בְּעֶזְרוֹ שִׂבְרוֹ עַל יְיָ אֱלֹהָיו": מַה כְּתִיב בַּתְרֵהּ "עֹשֶׂה שָׁמַיִם וָאָרֶץ וְגוֹ'", וְכִי מָה עִנְיַן זֶה לָזֶה? אֶלָּא מֶלֶךְ בָּשָׂר וָדָם יֵשׁ לוֹ פַּטְרוֹן בְּאַפַּרְכְיָא אַחַת, אֲפִלּוּ תֵימַר קוּזְמוּקְלַטוֹר שׁוֹלֵט בַּיַּבָּשָׁה, שֶׁמָּא שׁוֹלֵט בַּיָּם? אֲבָל הַקָּדוֹשׁ־בָּרוּךְ־הוּא שׁוֹלֵט בַּיָּם וְשׁוֹלֵט בַּיַּבָּשָׁה, וּמַצִּיל בַּיָּם מִן הַמַּיִם, וּבַיַּבָּשָׁה מִן הָאֵשׁ. הוּא שֶׁהִצִּיל אֶת מֹשֶׁה מֵחֶרֶב פַּרְעֹה, הִצִּיל אֶת יוֹנָה מִמְּעֵי הַדָּגָה, חֲנַנְיָה מִישָׁאֵל וַעֲזַרְיָה מִכִּבְשַׁן הָאֵשׁ, לְדָנִיֵּאל מִבּוֹר הָאֲרָיוֹת, הַדָּא הוּא דִכְתִיב "עֹשֶׂה שָׁמַיִם וָאָרֶץ אֶת הַיָּם וְאֶת כָּל אֲשֶׁר בָּם וְגוֹ'" (ירושלמי ברכות פרק ט' הלכה א).

ז

אֵין בְּיַד אֶחָד מֵהַבְּרוּאִים לְהוֹעִיל אֶת נַפְשׁוֹ וְלֹא לְהַזִּיקָהּ וְלֹא לְזוּלָתוֹ, כִּי אִם בִּרְשׁוּת הַבּוֹרֵא יִתְבָּרֵךְ. וּכְשֶׁיַּרְגִּישׁ הָאָדָם שֶׁלֹּא יוֹעִילֶנּוּ וְלֹא יַזִּיקֶנּוּ אֶחָד מֵהַנִּבְרָאִים אֶלָּא בִּרְשׁוּת הַבּוֹרֵא, יָשׁוּב לִבּוֹ מִיִּרְאָתָם וְתִקְוָתָם, וְיִבְטַח עַל הַבּוֹרֵא לְבַדּוֹ (חובת הלבבות שער הבטחון פרק ג).

ח

אָמַר רַבִּי יוֹסֵי בֹּא וּרְאֵה כַּמָּה בֵּין הָעוֹשֶׂה פִּטְרוֹנוֹ בַּקָּדוֹשׁ־

Yaakov, whose hope is Hashem his God." The next verse says, "He made the heavens and the earth, the sea and all that fills them."

(*Midrash Tehillim*)

❧ 6 ☙ Trust in God Who Is All-Powerful

The relationship between the two verses (*Tehillim* 146:5-6) is analogous to a mortal king who rules over one province but not another. Some monarchs may rule over land, but not the seas. God, however, rules the land and the seas. He rescues those adrift at sea, and those caught in a forest fire on land. He saved Moshe from the sword of Pharaoh, Yonah from the belly of the fish, Chananyah, Mishael, and Azaryah from the flaming furnace, and Daniel from the lions' den. This, then, is the connection between the two verses, "Fortunate is the one whose help is the God of Yaakov... He made the heavens and the earth, the sea and all that fills them."

(*Talmud Yerushalmi*)

❧ 7 ☙ With God's Consent

Without consent from the Creator, no living being has the ability to benefit or to harm himself or anyone else. When a person internalizes this notion that no creature can help or harm him unless God permits it, he will no longer fear or hope in others, and will trust only in the Creator.

(*Chovos Ha-levavos*)

❧ 8 ☙ Blessed Is the Man Who Trusts in God at All Times

R. Yossi said: Come and see the difference between one

בָּרוּךְ־הוּא לָעוֹשֶׂה פִּטְרוֹנוֹ בְּבָשָׂר וָדָם, הָעוֹשֶׂה פִּטְרוֹנוֹ בְּבָשָׂר וָדָם לֹא דַיּוֹ שֶׁאֵין צְרָכָיו נַעֲשִׂין, אֶלָּא שֶׁהוּא בִּכְלָל אָרוּר, דִּכְתִיב (ירמיה יז, ה־ו) "כֹּה אָמַר יְיָ אָרוּר הַגֶּבֶר אֲשֶׁר יִבְטַח בָּאָדָם וְשָׂם בָּשָׂר זְרֹעוֹ וּמִן יְיָ יָסוּר לִבּוֹ: וְהָיָה כְּעַרְעָר בָּעֲרָבָה וְלֹא יִרְאֶה כִּי יָבוֹא טוֹב וְשָׁכַן חֲרֵרִים בַּמִּדְבָּר אֶרֶץ מְלֵחָה וְלֹא תֵשֵׁב":

וְהָעוֹשֶׂה פִּטְרוֹנוֹ בַּקָּדוֹשׁ־בָּרוּךְ־הוּא לֹא דַיּוֹ שֶׁצְּרָכָיו נַעֲשִׂין אֶלָּא שֶׁהוּא מִתְבָּרֵךְ, דִּכְתִיב (שם ז־ח) "בָּרוּךְ הַגֶּבֶר אֲשֶׁר יִבְטַח בַּייָ וְהָיָה יְיָ מִבְטַחוֹ: וְהָיָה כְּעֵץ שָׁתוּל עַל מַיִם וְעַל יוּבַל יְשַׁלַּח שָׁרָשָׁיו וְלֹא יִרְאֶה כִּי יָבֹא חֹם וְהָיָה עָלֵהוּ רַעֲנָן וּבִשְׁנַת בַּצֹּרֶת לֹא יִדְאָג וְלֹא יָמִישׁ מֵעֲשׂוֹת פֶּרִי": (מדרש הגדול וישב מ, כג).

ט

כְּתִיב (ישעיה י, ה) "הוֹי אַשּׁוּר שֵׁבֶט אַפִּי, וּמַטֶּה הוּא בְיָדָם זַעְמִי: (שם טו) "הֲיִתְפָּאֵר הַגַּרְזֶן עַל הַחֹצֵב בּוֹ, אִם יִתְגַּדֵּל הַמַּשּׂוֹר עַל מְנִיפוֹ, כְּהָנִיף שֵׁבֶט וְאֶת מְרִימָיו, כְּהָרִים מַטֶּה לֹא עֵץ":

"הוֹי" כִּי עָשִׂיתִי אֶת "אַשּׁוּר שֵׁבֶט אַפִּי" לִרְדּוֹת בּוֹ אֶת עַמִּי. וּמַטֶּה הוּא זַעְמִי בְּיָדָם שֶׁל בְּנֵי אַשּׁוּר. "הֲיִתְפָּאֵר הַגַּרְזֶן" הַקָּדוֹשׁ־בָּרוּךְ־הוּא אוֹמֵר: לֹא הָיָה לְךָ לְהִתְהַלֵּל בָּזֹאת, כִּי אֵינְךָ אֶלָּא כְּגַרְזֶן שֶׁלִּי וַאֲנִי הַחוֹצֵב בְּךָ נִפְרַע עַל יָדְךָ מֵאוֹיְבַי, אַתָּה הַמַּשּׂוֹר וַאֲנִי הַמְנִיפוֹ, וְכִי דֶּרֶךְ הַמַּשּׂוֹר לְהִתְהַלֵּל עַל מְנִיפוֹ.

who relies on God and one who relies on man. When
one places his trust in man, not only do his needs go unmet,
but he falls into the category of the cursed, as Scripture
states, "So says Hashem, 'Cursed is the man who trusts
in man, and sets flesh as his strength, and turns his heart
away from God. He shall be like an isolated tree in an
arid land, and will not see when good comes. He shall
dwell in parched soil in the wilderness, on a salted land,
uninhabited'" (*Yirmeyahu* 17:5-6).

But for one who relies on God, however, not only are
his needs met, but he is blessed, as it says, "Blessed is
the man who trusts in Hashem, God will be his security.
He shall be like a tree planted by waters, toward the stream,
spreading its roots. It shall not notice the heat's arrival,
and its foliage shall be ever fresh. In the years of drought
it shall not worry, nor shall it cease from yielding fruit"
(ibid. 17:7-8).

(*Midrash Ha-gadol*)

❧ 9 ❧ Assyria Is the Rod of My Anger

"Woe that Assyria is the rod of My anger, and a staff is
My fury in their hands. Shall the axe boast over the one
that hews with it, or shall the saw hold itself greater than
he who wields it? It is as though the rod wields those
who raise it, or as if the staff should lift up them that
are not wood" (*Yeshayahu* 10:5,15).

Rashi explains these verses as follows: "Woe" that I
have made Assyria the rod of My anger with which to
chastise My people. "A staff" is My fury in the hands of
the Assyrians. "Shall the axe boast," says God to Sancherev,
King of Assyria. "You should not have boasted," declared
Hashem, "since you are merely like My axe which I am
using to avenge My foes. You are a saw which I control.
Is it fitting for a saw to boast to the one who wields it?

"כְּהָנִיף שֵׁבֶט וְאֶת מְרִימָיו" כְּאִלּוּ הָיָה הַשֵּׁבֶט מֵנִיף אֶת עַצְמוֹ וְאֶת יַד הַמְרִימוֹ, וַהֲלֹא אֵין שֵׁבֶט מְנִיפוֹ אֶלָּא הָאָדָם. "כְּהָרִים מַטֶּה לֹא עֵץ" לֹא הָעֵץ הוּא הַמֵּרִים אֶלָּא הָאָדָם הוּא הַמֵּרִים (רש"י).

הִמְשִׁיל הַנָּבִיא אֶת הָאָדָם כְּגַרְזֶן, כְּשֵׁם שֶׁהַגַּרְזֶן אֵין פְּעֻלָּתוֹ מֵעַצְמוֹ אֶלָּא מִצַּד הַחוֹצֵב בּוֹ, כֵּן הָאָדָם בְּכָל פְּעֻלּוֹתָיו שֶׁהוּא פּוֹעֵל וְרוֹצֶה לְהֵיטִיב וּלְהָרַע אֵין זֶה מִצַּד עַצְמוֹ אֶלָּא מִצַּד הַשֵּׁם יִתְעַלֶּה, וְאֵין הָאָדָם אֶלָּא כְּשֵׁבֶט הַמְרִימִים אוֹתוֹ (כד הקמח אות בטחון).

י

לֹא יִהְיֶה לְךָ שׁוּם סְמִיכָה וּבִטָּחוֹן בְּשׁוּם בֶּן אָדָם בָּעוֹלָם וְשׁוּם מַלְאָךְ וְשָׂרָף, וְאִיתָא בְּזֹהַר (ויקהל דף ר"ו) אַנְתְּ הוּא זָן לְכֹלָּא וּמְפַרְנֵס לְכֹלָּא, אַנְתְּ הוּא שַׁלִּיט עַל כֹּלָּא, אַנְתְּ הוּא דְּשַׁלִּיט עַל מַלְכַיָּא, וּמַלְכוּתָא דִּילָךְ הִיא. אֲנָא עַבְדָּא דְּקֻדְשָׁא בְּרִיךְ הוּא, דְּסָגִידְנָא קַמֵּהּ וּמִקַּמָּא דִיקַר אוֹרַיְתֵהּ בְּכָל עִדָּן וְעִדָּן. לָא עַל אֱנָשׁ רָחִיצְנָא וְלָא עַל בַּר אֱלָהִין סָמִכְנָא, אֶלָּא בֶּאֱלָהָא דִשְׁמַיָּא, דְּהוּא אֱלָהָא קְשׁוֹט וְאוֹרַיְתֵהּ קְשׁוֹט וּנְבִיאוֹהִי קְשׁוֹט, וּמַסְגֵּי לְמֶעְבַּד טַבְוָן וּקְשׁוֹט, בֵּהּ אֲנָא רָחִיץ, וְלִשְׁמֵהּ קַדִּישָׁא יַקִּירָא אֲנָא אֵמַר תֻּשְׁבְּחָן.

יא

וְזֶהוּ שֶׁהִזְהִירָה תוֹרָה וְאָמְרָה (תהלים קמו, ג) "אַל תִּבְטְחוּ בִנְדִיבִים" אֲפִלּוּ בְּמִי שֶׁהוּא עָשִׁיר גָּדוֹל וּנְדִיב לֵב לֹא תִבְטַח בּוֹ, וּמִכָּל־שֶׁכֵּן שֶׁלֹּא תִבְטַח בִּסְתָם בֶּן אָדָם.

"It is as though the rod wields those who raise it." Yet surely it is not the rod which wields, but the person. It is the person who does the lifting, not the wooden staff.

The prophet likens man to an axe. The activity of the axe does not originate from within itself, but from the one who chops with it. In the same way, the deeds of man, be they good or bad, are not from himself, but from God. A person is merely like a staff that is being lifted.

(Rabbenu Bachya)

⋙ 10 ⋘ Prayer When Removing the Sefer Torah from the Ark

One should not rely upon or place his confidence in anyone other than God. We recite a prayer from the *Zohar* which conveys this idea every time we take out the *sefer Torah* from the ark.

"It is You Who nourishes all and sustains all. You control everything. You control kings, and kingship is Yours. I am the servant of the Holy One, blessed be He, before Whom and before Whose glorious Law I prostrate myself at all times. Not in man do I put my trust, nor in any angel do I rely. Only in the God of heaven do I trust. He is the God of truth, whose Torah is truth, whose prophets are true, who acts generously with kindness and truth. To His glorious and holy name do I declare praises."

(*Zohar* II:206)

⋙ 11 ⋘ Trust Not in a Man of Wealth

The Torah cautions us "not to rely on nobles" (*Tehillim* 146:3). This means that one should not rely even on someone who is exceptionally wealthy and generous, and certainly not one of ordinary means.

עוֹד יִתְפָּרֵשׁ "אַל תִּבְטְחוּ בִנְדִיבִים" נְדִיבִים אֵלּוּ מַלְאָכִים, שֶׁלֹּא תִבְטַח בְּשׁוּם מַלְאָךְ וְשָׂרָף אֲפִלּוּ הַיּוֹתֵר גָּדוֹל וְכָל־שֶׁכֵּן שֶׁלֹּא תִבְטַח בְּבֶן אָדָם.

וְכָתַב הָרַמַ"ק בְּסִדּוּרוֹ (תפלה למשה) "אַל תִּבְטְחוּ בִנְדִיבִים" כְּבָר פֵּרַשְׁנוּ (בפרדס רמונים) בְּעִנְיַן סַנְדַּ"ל וּמַטַ"ט וְכוּ' וְאָז הֵם נִקְרָאִים נְדִיבִים. וּבְשַׁעֲרֵי אוֹרָה (שער ה) כָּתַב: מַלְאָכִים הָעוֹמְדִים בְּשׁוּרָה סָבִיב לַמֶּרְכָּבָה מִצַּד יָמִין נִקְרָאִים נְדִיבִים, וְאַף בָּהֶם לֹא תִבְטְחוּ כְּלָל. וְזֶהוּ שֶׁאָמַר (תהלים קיח, ט) "טוֹב לַחֲסוֹת בַּיְיָ מִבְּטֹחַ בִּנְדִיבִים":

יב

כְּשֶׁיַּגִּיעַ לְאָדָם אֵיזֶה רֶוַח כֶּסֶף אוֹ חֵפֶץ וְכַדּוֹמֶה, צָרִיךְ לְהוֹדוֹת לַקָּדוֹשׁ־בָּרוּךְ־הוּא עַל זֶה, וְטוֹב שֶׁיֹּאמַר בְּזֶה הַלָּשׁוֹן: מוֹדֶה אֲנִי לְפָנֶיךָ יְיָ אֱלֹהַי וֵאלֹהֵי אֲבוֹתַי שֶׁנָּתַתָּ לִי כֶּסֶף זֶה, אוֹ חֵפֶץ זֶה. וּמָחָר בַּבֹּקֶר בְּבִרְכַּת "שֶׁעָשָׂה לִי כָּל צָרְכִּי" יְכַוֵּן גַּם עַל זֶה.

כָּתַב בְּאָרְחוֹת צַדִּיקִים (שער השמחה) הָאָדָם אֲשֶׁר חִיּוּתוֹ וּצְרָכָיו תְּלוּיִים בְּאָדָם אַחֵר, לֹא יָשִׂים בִּטְחוֹנוֹ עַל הָאִישׁ הַהוּא, אַךְ יָשִׂים שֹׁרֶשׁ בִּטְחוֹנוֹ מֵעֹמֶק הַלֵּב בַּבּוֹרֵא יִתְבָּרֵךְ. וְאֵין דַּי בַּמֶּה שֶׁיֹּאמַר כֵּן בְּלִבּוֹ, אֶלָּא יִתֵּן שֶׁבַח וְהוֹדָאָה לַבּוֹרֵא יִתְבָּרֵךְ, עַל זֶה אֲשֶׁר לֹא עָזַב חַסְדּוֹ מֵאִתּוֹ.

יג

וְיֵדַע נֶאֱמָנָה כִּי כָל אָדָם וְכָל דָּבָר הֵם רַק שְׁלוּחִים מֵאִתּוֹ

On a kabbalistic level, this verse takes on an entirely different meaning. "Nobles" (*nidivim*) refers to the angels. They surround the Divine chariot, row after row. Those on the right side are called *nidivim*, the "generous ones" who seek Divine mercy for those being judged. We are not to rely on these angels, no matter how elevated they might be. Once we are cautioned not to trust in angels, then surely we are not to trust in man. This, then, is the intent of the verse, "It is better to seek refuge in God than to trust in *nidivim*" (ibid. 118:9).

(Shaarei Orah)

✂ 12 ✂ Praise God for Everything He Does for Us

Whenever a person has a financial or material gain, he should thank God for his success. At such a time, it is appropriate to say the following: "I offer thanks before You, O Hashem my God and the God of my forefathers, for bestowing on me this money or gain." The next morning, he should have in mind the new possession he received, when reciting the blessing "Who has prepared for me all my needs."

In the book *Orchos Tzaddikim*, the author writes that a person whose livelihood is dependent upon others should not place his trust in them. Instead, deep within his heart, let him establish the Creator as the source of his trust. It is not sufficient that a person think this to himself, rather he should verbally express praise and gratitude to the Creator Whose kindness has not departed from him.

(Orchos Tzaddikim)

✂ 13 ✂ Realization that Everything Comes from God

One should truly recognize that each man and each object is merely an instrument in the hands of God. This is the

יִתְעַלֶּה, וְזֶהוּ שֶׁאָמַר (תהלים קמו, ה) "אַשְׁרֵי שֶׁאֵל יַעֲקֹב בְּעֶזְרוֹ", אַשְׁרֵי אָדָם שֶׁיַּרְגִּישׁ בְּכָל דְּבַר עֶזְרָה הַבָּא לְיָדוֹ וּלְבָבוֹ יָבִין וְיֵדַע עַל נָכוֹן שֶׁאֵל יַעֲקֹב בְּעֶזְרוֹ, שֶׁהַכֹּל הוּא מֵאֵת הַשֵּׁם יִתְבָּרַךְ, וְהַסִּבּוֹת אוֹ אֲנָשִׁים הַכֹּל הֵם רַק שְׁלוּחִים מֵאֵת הַשֵּׁם יִתְבָּרַךְ, וְאִם לֹא יִהְיֶה עַל יְדֵי אָדָם זֶה אוֹ סִבָּה זוֹ, יִהְיֶה עַל יְדֵי אִישׁ וְסִבָּה אַחֶרֶת. וּכְתִיב (בראשית כח, כ) "וַיִּדַּר יַעֲקֹב נֶדֶר לֵאמֹר אִם יִהְיֶה אֱלֹהִים עִמָּדִי וּשְׁמָרַנִי בַּדֶּרֶךְ הַזֶּה אֲשֶׁר אָנֹכִי הוֹלֵךְ וְנָתַן לִי לֶחֶם לֶאֱכֹל וּבֶגֶד לִלְבֹּשׁ", דְּהַיְנוּ שֶׁאַרְגִּישׁ תָּמִיד בֶּאֱמֶת שֶׁהַקָּדוֹשׁ־בָּרוּךְ־הוּא הוּא הַשּׁוֹמֵר אוֹתִי וְנוֹתֵן לִי לֶחֶם לֶאֱכֹל וּבֶגֶד לִלְבֹּשׁ. "וְשַׁבְתִּי בְשָׁלוֹם אֶל בֵּית אָבִי", וּפֵרֵשׁ רַשִׁ"י שָׁלוֹם מִן הַחֵטְא, שֶׁלֹּא אֶלְמַד מִדַּרְכֵי לָבָן, עכ"ל, וְהַיְנוּ שֶׁלֹּא אֶתְפָּעֵל מִשּׁוּם בֶּן אָדָם וּמִשּׁוּם פְּעֻלָּה בָּעוֹלָם כְּלָל. "וְהָיָה ה' לִי לֵאלֹקִים", שֶׁיִּהְיֶה תָּמִיד קָבוּעַ בְּלִבִּי כִּי ה' הוּא הָאֱלֹקִים אֵין עוֹד מִלְּבַדּוֹ שׁוּם כֹּחַ וְרָצוֹן בָּעוֹלָם, אֶלָּא הַכֹּל מָלֵא אַחְדוּתוֹ הַפָּשׁוּט יִתְעַלֶּה, כַּמְבֹאָר בַּסְּפָרִים הַקְּדוֹשִׁים.

וְלָזֶה אָמַר תֵּכֶף (תהלים קמו, ז) "עֹשֶׂה מִשְׁפָּט לַעֲשׁוּקִים נֹתֵן לֶחֶם לָרְעֵבִים וְגוֹ'", שֶׁיֵּדַע הָאָדָם עַל נָכוֹן שֶׁכָּל הַהֲטָבוֹת וְכָל דְּבַר עֶזְרָה הַבָּא לְיָדוֹ הַכֹּל הוּא מֵאֵת הַשֵּׁם יִתְבָּרַךְ שֶׁהוּא בַּעַל הַיְכֹלֶת וּבַעַל הַכֹּחוֹת כֻּלָּם, וְהָבֵן וּזְכֹר זֶה תָּמִיד.

יד

וְכֵן כָּל־מַה שֶּׁבָּא לוֹ לְאָדָם מֵאָבִיו וְאִמּוֹ בָּנָיו וְאֶחָיו קְרוֹבָיו וְרֵעָיו חֲבֵרָיו וּמַכִּירָיו, הַכֹּל הוּא מֵאֵת הַשֵּׁם יִתְבָּרַךְ, וְהֵם רַק שְׁלוּחִים. וּלְשׁוֹן הַזֹּהַר (ויקהל קצ"ח): "אַשְׁרֵי שֶׁאֵל

deeper meaning of the verse (*Tehillim* 146:5), "Fortunate is the one whose help is the God of Yaakov." How truly content is the person who realizes that everything that comes his way comes only because his "help is the God of Yaakov." Everything comes from the Almighty, and everything that happens to man is orchestrated by God. And if it won't be caused by one particular person or reason, it will be caused by some other person or reason.

"Yaakov vowed, saying, 'If Hashem will be with me and guard me on the way in which I go, and will give me bread to eat and clothes to wear...' "(*Bereshis* 28:20). Yaakov was saying, "I always feel that the Holy One, blessed be He watches over me, and provides me with bread to eat and clothes to wear."

"May I return in peace to my father's home" (ibid.). Rashi comments: "In peace" — without sin, not learning from the cunningness of Lavan, not being led astray by anybody or anything at all in the world.

"Then God will be my God" (ibid.). Then it will be ingrained in my heart that Hashem is God, there is no other than Him, no external power other than His. Everything is full of His oneness.

Based on this, Yaakov immediately commented, "He does justice for the oppressed, He gives bread to the hungry" (*Tehillim* 146:7). Any assistance that comes to a person comes from God, the One who can do everything. Understand this and recall it often.

(*Eved Ha-melech*)

⋙ 14 ⋘ Others Serving as God's Messengers

An individual is called upon to realize that everything that happens to him, whether by the hand of his parents, or siblings, or other relatives, or friends really comes from God, and these individuals are merely messengers carry-

יַעֲקֹב בְּעֶזְרוֹ״, וְכִי אֵל יַעֲקֹב וְלֹא אֵל אַבְרָהָם וְלֹא אֵל יִצְחָק אֶלָּא אֵל יַעֲקֹב, בְּגִין דְּיַעֲקֹב לָא אֶתְרְחִיץ בַּאֲבוּהִי וְלָא בְאִמֵּהּ כַּד עָרַק קַמֵּי אֲחוּי וְאָזַל יְחִידָאִי בְלָא מָמוֹנָא כְּמָא דְאָמַר (בראשית לב, י) ״כִּי בְמַקְלִי עָבַרְתִּי אֶת הַיַּרְדֵּן הַזֶּה״, וְאִיהוּ אֶתְרְחִיץ בֵּהּ בְּקֻדְשָׁא בְּרִיךְ הוּא, דִכְתִיב ״אִם יִהְיֶה אֱלֹהִים עִמָּדִי וּשְׁמָרַנִי בַּדֶּרֶךְ הַזֶּה אֲשֶׁר אָנֹכִי הוֹלֵךְ וְנָתַן לִי לֶחֶם לֶאֱכֹל וּבֶגֶד לִלְבֹּשׁ: וְשַׁבְתִּי בְשָׁלוֹם אֶל בֵּית אָבִי״, וְכֻלָּא שָׁאִיל מִקַּמֵּהּ דְּקֻדְשָׁא בְּרִיךְ הוּא וְיָהַב לֵהּ.

טו

״וַיְדַבֵּר יְיָ אֶל מֹשֶׁה לֵאמֹר: דַּבֵּר אֶל אַהֲרֹן וְאֶל בָּנָיו לֵאמֹר כֹּה תְבָרְכוּ אֶת בְּנֵי יִשְׂרָאֵל אָמוֹר לָהֶם: יְבָרֶכְךָ יְיָ וְיִשְׁמְרֶךָ: יָאֵר יְיָ פָּנָיו אֵלֶיךָ וִיחֻנֶּךָּ: יִשָּׂא יְיָ פָּנָיו אֵלֶיךָ וְיָשֵׂם לְךָ שָׁלוֹם: וְשָׂמוּ אֶת שְׁמִי עַל בְּנֵי יִשְׂרָאֵל וַאֲנִי אֲבָרְכֵם:״ (במדבר ו, כב־כז). נִצְטַוּוּ בָּזֶה הַכֹּהֲנִים לְבָרֵךְ אֶת יִשְׂרָאֵל בְּכָל יוֹם (עבד המלך). מִצְוַת בִּרְכַּת כֹּהֲנִים גְּדוֹלָה וְנִשְׂגָּבָה מְאֹד כִּמְבֹאָר בְּעֶבֶד הַמֶּלֶךְ וּבִנְתִיב מִצְוֹתֶיךָ, לֵךְ נָא וְתִלְמְדֶנּוּ שָׁם.

וַאֲנִי אֲבָרְכֵם. שֶׁלֹּא יִהְיוּ יִשְׂרָאֵל אוֹמְרִים בִּרְכוֹתֵיהֶם תְּלוּיוֹת בְּכֹהֲנֵיהֶם, תַּלְמוּד לוֹמַר וַאֲנִי אֲבָרְכֵם, שֶׁלֹּא יִהְיוּ הַכֹּהֲנִים אוֹמְרִים אָנוּ נְבָרֵךְ יִשְׂרָאֵל תַּלְמוּד לוֹמַר וַאֲנִי אֲבָרְכֵם אֲנִי אֲבָרֵךְ אֶת עַמִּי יִשְׂרָאֵל שֶׁנֶּאֱמַר (דברים ב, ז) ״כִּי יְיָ אֱלֹהֶיךָ בֵּרַכְךָ בְּכָל מַעֲשֵׂה יָדֶיךָ״, וְאוֹמֵר (שם טו, ו) ״כִּי יְיָ אֱלֹהֶיךָ בֵּרַכְךָ כַּאֲשֶׁר דִּבֶּר לָךְ״. וְאוֹמֵר (שָׁם כח, כב) ״יִפְתַּח יְיָ לְךָ אֶת אוֹצָרוֹ הַטּוֹב אֶת הַשָּׁמַיִם״. וְאוֹמֵר (יחזקאל לד, יד־טו) ״בְּמִרְעֶה טּוֹב אֶרְעֶה אוֹתָם וּבְהָרֵי מְרוֹם יִשְׂרָאֵל יִהְיֶה נְוֵהֶם שָׁם תִּרְבַּצְנָה בְּנָוֶה טּוֹב וּמִרְעֶה שָׁמֵן תִּרְעֶינָה אֶל הָרֵי יִשְׂרָאֵל: אֲנִי אֶרְעֶה צֹאנִי וַאֲנִי אַרְבִּיצֵם נְאֻם אֲדֹנָי אֱלֹהִים״ (ספרי).

ing out God's Divine plan.

"Fortunate is the one whose help is the God of Yaakov" (ibid. 146:5) hints at this idea. Why does the psalmist single out Yaakov, and not write "the God of Avraham, Yitzchak, and Yaakov"? Yaakov, when leaving his parents' home to escape from his aggressive brother, did not rely on his parents. He left by himself, penniless, as hinted in the verse, "With my staff alone I crossed the Jordan River." He trusted in God, saying, "If Hashem will be with me and guard me on the way...." Everything He asked from God, God gave to him.

(Zohar II:198a)

❧ 15 ❧ The Priestly Benediction

The priestly benediction (*Bemidbar* 6: 22-27) ends with these words: "And I shall bless them." The *Midrash* explains that the reason why God "shall bless them" is to correct a misconception. Those Israelites who receive the priestly blessing are apt to think that the blessing is coming from the priests, and the priests are liable to say, "We blessed the people." Therefore, the verse ends with "I shall bless them."

Similarly it says, "For Hashem your God shall bless you with the work of your hands, as He said unto you," and, "Hashem shall open to you His goodly treasure" (*Devarim* 28:12), and, "I shall feed them in a good pasture, and upon the high mountains of Yisrael shall their fold be. They shall lie there in a good pasture, and in a fat grazing land shall they feed upon the mountains of Yisrael. I shall feed My flock, and I shall cause them to lie down, says Hashem, God" (*Yechezkel* 34:14-15).

(Sifri)

טז

וְזֶה יְסוֹד גָּדוֹל וְחָזָק בָּאֱמוּנָה שֶׁלֹּא יֹאמַר הָאָדָם פְּלוֹנִי הֵטִיב לִי, פְּלוֹנִי נָתַן לִי וְלֹא יֹאמַר הָאָדָם אֲנִי הֵטַבְתִּי לִפְלוֹנִי אֲנִי נָתַתִּי לִפְלוֹנִי, אֶלָּא הַכֹּל הוּא מֵאֵת הַשֵּׁם יִתְבָּרַךְ הָעוֹשֶׂה כֹּל.

וְכָתַב בְּחוֹבַת הַלְּבָבוֹת (שער הבטחון פ״ד) אֲנִי תָּמֵהַּ מִמִּי שֶׁנּוֹתֵן לַחֲבֵרוֹ מַה שֶּׁגָּזַר לוֹ אֶצְלוֹ הַבּוֹרֵא וְאַחַר כָּךְ יַזְכִּיר לוֹ טוֹבָתוֹ עָלָיו בּוֹ וִיבַקֵּשׁ לְהוֹדוֹת אוֹתוֹ עָלָיו, וְיוֹתֵר אֲנִי תָּמֵהַּ מִמִּי שֶׁקִּבֵּל טַרְפּוֹ עַל יְדֵי אַחֵר מֻכְרָח לְתִתּוֹ לוֹ וְיִכָּנַע לוֹ וִיפַיְּסֵהוּ וִישַׁבְּחֵהוּ.

עוֹד כָּתַב (בשער הבטחון פ״ג) כָּל רַחֲמִים וְחֶמְלָה שֶׁיִּהְיוּ מִזּוּלָתוֹ עָלָיו, כֻּלָּם הֵם מֵרַחֲמֵי הָאֵל וְחֶמְלָתוֹ כְּמוֹ שֶׁאָמַר הַכָּתוּב (דברים יג, יח) ״וְנָתַן לְךָ רַחֲמִים וְרִחַמְךָ וְהִרְבֶּךָ״ עכ״ל, וְעַיֵּן בְּמַרְפֵּא לָנֶפֶשׁ בְּשַׁעַר הַבִּטָּחוֹן פ״ד שֶׁכָּתַב בָּזֶה דְּבָרִים נְכוֹנִים וַאֲמִתִּיִּים עַיֵּן שָׁם הֵיטֵב בִּדְבָרָיו הַקְּדוֹשִׁים.

יז

כְּתִיב (משלי ג, ה) ״בְּטַח אֶל יְיָ בְּכָל לִבֶּךָ וְאֶל בִּינָתְךָ אַל תִּשָּׁעֵן״: נִצְטַוִּינוּ בָּזֶה לִבְטֹחַ בַּשֵּׁם יִתְבָּרַךְ בְּבִטָּחוֹן גָּמוּר וְשָׁלֵם, וְהֻזְהַרְנוּ בָּזֶה שֶׁלֹּא יִבְטַח הָאָדָם בְּכֹחוֹ וְחָכְמָתוֹ כְּלָל וּכְלָל (עבד המלך).

16 The Lesson of the Priestly Blessing

We may learn the most basic tenets of faith from this *Midrash*. A person should never say that "I have what I have because so-and-so did me a favor," or "so-and-so gave me this or that." Likewise, the giver should never say, "He has what he has because I befriended him," or "I give him this or that." The lesson which both parties should learn is that everything is from God alone.

The author of *Chovos Ha-levavos* elucidates this topic. "I can hardly believe," he writes, "that there are people who give something to their friends — what was predestined to be their friends' — and go right ahead and remind them of it in order to get their friends to thank them personally for their kindness.

"And even more so, I don't understand why the one who receives his food from a third party must feel subordinate to him, and soothe and praise him."

In another place he writes, "Every drop of mercy and compassion that befalls a person is only from God, as the verse says, "that Hashem may show you mercy, and have compassion upon you, and multiply you" (*Devarim* 13:18).

(*Eved Ha-melech*)

17 Trust Wholeheartedly

"Trust in God with all your heart, and do not rely on your own understanding" (*Mishlei* 3:5). We learn from here to trust in God totally and completely. We also learn that a person should not trust in his own strength and wisdom at all.

(*Eved Ha-melech*)

יח

אַף כְּשֶׁהָאָדָם רוֹאֶה אֶת עַצְמוֹ מַשְׂכִּיל וְנָבוֹן וְחָכָם לֹא יִשָּׁעֵן בִּתְבוּנָתוֹ, אֲבָל יִבְטַח בַּשֵּׁם בְּכָל עִנְיָנָיו, וְיִתְפַּלֵּל לְפָנָיו, וְהוּא אָמְרוֹ "בְּטַח אֶל יְיָ בְּכָל לִבֶּךָ", כְּלוֹמַר שֶׁלֹּא תְתַיַּחֵס כְּלָל בַּמֶּה שֶׁתַּשִּׂיג מֵרְצוֹנְךָ רַק לְבִטָּחוֹן בַּשֵּׁם, וְזֶהוּ "בְּכָל לִבֶּךָ", כְּלוֹמַר שֶׁלֹּא תַחֲלֹק מִכְּבוֹדוֹ לְחָכְמָתְךָ וְלִתְבוּנָתְךָ כְּלָל, אֲבָל שֶׁתְּיַחֵס לַשֵּׁם יִתְבָּרַךְ כִּי מֵאִתּוֹ הֶפְקֵת הַכֹּל (מאירי).

יט

לֹא יֹאמַר הָאָדָם אֶבְטַח בַּשֵּׁם, אַךְ אֲנִי מְחֻיָּב לַעֲשׂוֹת וּלְהִשָּׁעֵן גַּם עַל שִׂכְלִי, וְלָכֵן אָמַר "וְאֶל בִּינָתְךָ אַל תִּשָּׁעֵן", אֲפִלּוּ בְּתוֹרַת מִשְׁעֶנֶת לֹא יִהְיֶה לְךָ שִׂכְלְךָ, אֶלָּא בְּטַח בַּשֵּׁם בְּכָל לִבְּךָ (ביאור הגר"א, משלי).

כ

נִרְאֶה לִי כִּי מִפְּנֵי זֶה אָמַר "בְּטַח אֶל הַשֵּׁם" וְלֹא אָמַר "בְּטַח בַּשֵּׁם", לְבָאֵר שֶׁהַבִּטָּחוֹן הַשָּׁלֵם בְּכָל לִבּוֹ הוּא שֶׁיִּהְיוּ כָל מַחְשְׁבוֹתָיו אֶל הַשֵּׁם כְּעִנְיָן שֶׁכָּתוּב (תהלים כה, טו) "עֵינַי תָּמִיד אֶל יְיָ" (רבינו בחיי פרשת מקץ).

✌ 18 ✌ Trust Wholeheartedly for Everything Comes from God

Even when a person sees himself as intelligent, discerning, and shrewd, he should not rely on his reasoning. Instead, he should place his trust in God during all his affairs, and pray to Him for their success. Shelomo Hamelech conveyed this idea when he said, "Trust in God with all your heart," — do not attribute what you have attained to yourself at all, but only to your trust in God. This is the meaning of "with all your heart" — you should not diminish God's honor by accrediting your own wisdom and knowledge in any way. Instead, attribute all to God because you have obtained everything from Him.

(Me'iri)

✌ 19 ✌ Don't Rely on Your Own Judgment

A person should not say, "I shall trust in God, but I must also rely on my own judgment." For this reason Shelomo Ha-melech said, "Do not rely on your own understanding" (*Mishlei* 3:5) — not even as a secondary factor. Instead, trust in God with your whole heart.

(Vilna Gaon)

✌ 20 ✌ Trust Always

Apparently the reason why the phrase "trust to God" is more appropriate than "trust in God," is in order to make us aware that the fullest scope of Divine trust is when all of our thoughts are to God, as the verse says, "My eyes are always toward God" (*Tehillim* 25:15).

(Rabbenu Bachya)

כא

אַף כַּאֲשֶׁר יֵרָאֶה לְךָ בְשִׂכְלְךָ וּתְבוּנָתְךָ כִּי הַמַּעֲשֶׂה אֲשֶׁר תַּעֲשֶׂה יַצְלִיחַ עַל דֶּרֶךְ עֲצַת לִבְּךָ וְתַחְבּוּלוֹת אֲשֶׁר תַּחְשֹׁב, אַל תִּבְטַח עַל זֶה, כִּי הַכֹּל תָּלוּי בִּידֵי שָׁמַיִם, שֶׁנֶּאֱמַר (ישעיה מד, כה) "מֵשִׁיב חֲכָמִים אָחוֹר וְדַעְתָּם יְסַכֵּל", וְנֶאֱמַר (משלי יט, כא) "רַבּוֹת מַחֲשָׁבוֹת בְּלֶב אִישׁ וַעֲצַת יְיָ הִיא תָקוּם", וְנֶאֱמַר (תהלים קכז, א) "אִם ה׳ לֹא יִבְנֶה בַיִת שָׁוְא עָמְלוּ בוֹנָיו בּוֹ, אִם ה׳ לֹא יִשְׁמָר עִיר שָׁוְא שָׁקַד שׁוֹמֵר", וְנֶאֱמַר (קהלת ט, יא) "כִּי לֹא לַקַּלִּים הַמֵּרוֹץ, וְלֹא לַגִּבּוֹרִים הַמִּלְחָמָה, וְגַם לֹא לַחֲכָמִים לֶחֶם, וְגַם לֹא לַנְּבֹנִים עֹשֶׁר, וְגַם לֹא לַיֹּדְעִים חֵן", וְנֶאֱמַר (משלי טז, א) "לְאָדָם מַעַרְכֵי לֵב וּמֵיְיָ מַעֲנֵה לָשׁוֹן", הִנֵּה כִּי גַם מַעֲנֵה לָשׁוֹן אֵינֶנּוּ בְּיַד הָאָדָם אַף כִּי הַפּוֹעַל (רבינו יונה).

כב

"לְאָדָם מַעַרְכֵי לֵב וּמֵיְיָ מַעֲנֵה לָשׁוֹן" (משלי טז, א). לְהוֹדִיעֲךָ שֶׁהַכֹּל מֵהַקָּדוֹשׁ־בָּרוּךְ־הוּא שֶׁלֹּא מֵאָדָם מַחְשְׁבוֹת לֵב וְלֹא דְבַר לָשׁוֹן אֶלָּא מִלִּפְנֵי הַקָּדוֹשׁ־בָּרוּךְ־הוּא (מדרש משלי). פֵּרוּשׁ גַּם הַמַּחֲשָׁבָה הַכֹּל הוּא מֵאֵת הַשֵּׁם וְנוֹתֵן לוֹ כֹּחַ לַחֲשֹׁב, וְאֵין בְּיַד הָאָדָם שׁוּם דָּבָר מֵעַצְמוֹ לֹא מַחֲשָׁבָה לֹא דִבּוּר וְלֹא מַעֲשֶׂה. וְאָמַר הַכָּתוּב "לְאָדָם מַעַרְכֵי לֵב" אֲפִלּוּ שֶׁכְּבָר הֵכִין לוֹ הָאָדָם כַּמָּה מַעֲרָכוֹת בַּלֵּב וְסִדֵּר לוֹ בְּטוּב מַה שֶּׁיְּדַבֵּר, לֹא יֹאמַר וְלֹא יַחֲשֹׁב אֲנִי כְבָר יָכוֹל לְדַבֵּר נִפְלָא

🐟 21 🐟 Everything Is from Heaven

Even when you analyze the success of a venture and conclude that it was the result of your sound judgment and shrewd calculations, don't trust in this. Say that it was all by the grace of God, as it says, "He turns the wise backward, and makes their knowledge foolish" (*Yeshayahu* 44:25), and "Many are the thoughts in a man's heart, but God's plan is what comes about" (*Mishlei* 19:21), and "If God shall not build the house, vain are those who toil to build it. If God will not guard the city, vain is the watchman's vigil" (*Tehillim* 127:1), and "The race is not to the swift, nor the battle to the brave, nor even sustenance to the wise, nor even riches to the understanding, nor even favor to the learned" (*Koheles* 9:11), and "The thoughts of the heart are man's, but the tongue's answer comes from God" (*Mishlei* 16:1). If what the tongue answers is not within a person's power, surely his actions are not.

(Rabbenu Yonah)

🐟 22 🐟 Every Thought, Word, and Deed

The *Midrash* points out that the very thoughts a man has in his heart and the words he utters come from God. The verse is found in *Mishlei* 16:1, "The thoughts of the heart are man's, but from God comes the utterance of the tongue." Although the verse appears to allow man the freedom to think what he wants, the commentators indicate that the power to think comes directly from God. Therefore, in reality, man's thoughts, words, and deeds are not his own.

When a person has prepared a speech and he feels confident that his oral delivery will be smooth and clear, he should be careful not to say or think, "Now I am ready to give an exceptionally dynamic speech, without fum-

וְטוֹב וְלֹא אֶכָּשֵׁל בִּלְשׁוֹנִי, כִּי הֲלֹא כְּבָר הֲכַנְתִּי וְסִדַּרְתִּי לִי מַה לְּדַבֵּר, לָזֶה אָמַר הַכָּתוּב "וּמֵיְיָ מַעֲנֵה לָשׁוֹן", שֶׁיֵּדַע הָאָדָם וְיַאֲמִין שֶׁהוּא בְּעַצְמוֹ לֹא כְלוּם הוּא וְלֹא יָכוֹל לְדַבֵּר מְאוּמָה, רַק בּוֹטֵחַ בַּשֵּׁם יִתְבָּרַךְ שֶׁמִּמֶּנּוּ מַעֲנֵה לָשׁוֹן שֶׁיִּתֵּן לוֹ מַעֲנֶה טוֹב וְלֹא יִכָּשֵׁל בִּלְשׁוֹנוֹ וְאַל יֹאמַר פִּיו דָּבָר שֶׁלֹּא כִּרְצוֹן ה׳.

כג

כְּתִיב (דברים ח, יז־יח) "וְאָמַרְתָּ בִּלְבָבֶךָ כֹּחִי וְעֹצֶם יָדִי עָשָׂה לִי אֶת הַחַיִל הַזֶּה: וְזָכַרְתָּ אֶת יְיָ אֱלֹהֶיךָ כִּי הוּא הַנֹּתֵן לְךָ כֹּחַ לַעֲשׂוֹת חָיִל, לְמַעַן הָקִים אֶת בְּרִיתוֹ אֲשֶׁר נִשְׁבַּע לַאֲבֹתֶיךָ כַּיּוֹם הַזֶּה:"

וְתִרְגֵּם אוּנְקְלוּס אֶת הַפָּסוּק "כִּי הוּא הַנֹּתֵן לְךָ כֹּחַ לַעֲשׂוֹת חָיִל", וְתֵמַר בְּלִבָּךְ חֵילִי וּתְקֹף יְדִי כְּנַשׁ לִי יַת נִכְסַיָּא הָאִלֵּין, וְתִדְכַּר יַת יְיָ אֱלָהָךְ אֲרֵי הוּא דְּיָהֵב לָךְ עֵצָה לְמִקְנֵי נִכְסִין.

וּכְתִיב (קהלת ט, יא) "וְגַם לֹא לַחֲכָמִים לֶחֶם וְגַם לֹא לַנְּבֹנִים עֹשֶׁר וְגַם לֹא לַיֹּדְעִים חֵן", אֶלָּא הַכֹּל הוּא בְּהַשְׁגָּחָתוֹ הַפְּרָטִית יִתְעַלֶּה, וּבַכֹּל הוּא עוֹשֶׂה שְׁלִיחוּתוֹ.

כד

הַקָּדוֹשׁ־בָּרוּךְ־הוּא מַזְמִין לָעוֹסְקִים יוֹמָם וָלַיְלָה בַּתּוֹרָה, כָּל צָרְכֵיהֶם, כְּשֵׁם שֶׁהַסּוֹחֵר וְכוּ׳, מַזְמִין לוֹ הַקָּדוֹשׁ־בָּרוּךְ־הוּא מַלְאָכִים הַמְמֻנִּים עָלָיו נִכְנָסִים בְּלֵב אֲחֵרִים לְהָבִיא לְמָקוֹם שֶׁזֶּה הַסּוֹחֵר שָׁם וּמְכַוֵּן לֵב הַסּוֹחֵר לִקְנוֹת, וְאַחַר־כָּךְ

bling for words,   because I am so well-prepared." The
verse succinctly says, "From God comes the utterance of
the tongue." Consequently, a person should truly believe
that by himself he can do nothing, nor can he say any-
thing. He must trust that God will make his words positive
ones, and that he will not make any remarks he will re-
gret later.

(Eved Ha-melech)

❧ 23 ❧ In Times of Success, Remember God

At a time of prosperity, be careful not to say to yourself,
"It was my own strength and personal power that brought
me all this wealth. Remember Hashem your God, because
He gives you the power to become prosperous..." (*Devarim*
8: 17-18).

Unkelos, in his classic Aramaic translation of the Torah,
interprets the verse as follows: "Remember God since He
is the one who gave you the counsel by which you acquired
wealth."

Koheles 9:11 says, "There is not — necessarily — bread
for the wise, nor riches to men of understanding, nor favor
to men of skill." Everything is determined by God's personal
supervision of man, and everything we have comes to us
channeled through Him.

(Eved Ha-melech)

❧ 24 ❧ Torah Scholars Are Sustained by God

Hashem provides for all the needs of those who study
His Torah day and night. God plants the idea in other
people's minds to bring their merchandise to where a
particular merchant is located, and directs this merchant
to instinctively buy it. Next, He guides others to come
to where this merchant is, or He sends him to them, in

מַזְמִין לֵב אֲחֵרִים לָבוֹא שָׁם אֵצֶל הַסּוֹחֵר, אוֹ הַסּוֹחֵר אֶצְלָם לִקְנוֹת. וְכָל הָעוֹסֵק בַּתּוֹרָה תָּדִיר הַקָּדוֹשׁ־בָּרוּךְ־הוּא שׁוֹלֵחַ לוֹ מַלְאָכִים מֵרָחוֹק לְהָבִיא לוֹ כָל צְרָכָיו, לְכָךְ נִקְרֵאת הַתּוֹרָה לָחֶם (ספר חסידים ש״ט).

כה

גַּרְסִינָן (שבת דף ל״א) כְּשֶׁמַּכְנִיסִים אָדָם לַדִּין אוֹמְרִים לוֹ נָשָׂאתָ וְנָתַתָּ בֶּאֱמוּנָה, עוֹד אָמְרוּ (שם) ״אֱמוּנַת״ זֶה סֵדֶר זְרָעִים. וּפֵרְשׁוּ בַּתּוֹסָפוֹת בְּשֵׁם יְרוּשַׁלְמִי שֶׁמַּאֲמִין בְּחֵי הָעוֹלָמִים וְזוֹרֵעַ, וְהַיְנוּ שֶׁאֵינוֹ עוֹסֵק בְּמַשָּׂא וּמַתָּן וְאוֹמֵר כֹּחִי וְעֹצֶם יָדִי, כִּי אִם זוֹרֵעַ וּמַשְׁלִיךְ גַּרְעִינֵי הַתְּבוּאָה לָאָרֶץ וִיכַסֵּם בֶּעָפָר וְשָׁם יִפָּסְדוּ וְיִרָקְבוּ עַד יְרַחֵם הַשֵּׁם עָלָיו יוֹרִיד גְּשָׁמִים וּטְלָלִים וְיַשִּׁיב הָרוּחַ, בְּרִנָּה יִקְצֹר וְיִשָּׂא אֲלֻמּוֹתָיו, וּלְכָךְ ״זְרָעִים״ נִקְרָא ״אֱמוּנָה״. וּכְמוֹ כֵן צָרִיךְ לִהְיוֹת כָּל עֵסֶק וְכָל מַשָּׂא וּמַתָּן בֶּאֱמוּנָה. הַיְנוּ שֶׁיַּאֲמִין שֶׁמַּה שֶּׁהוּא קוֹנֶה אוֹ מוֹכֵר, לֹוֶה אוֹ מַלְוֶה, מִתְעַסֵּק וְטוֹרֵחַ, מִשְׁתַּדֵּל, הַכֹּל הוּא כְּמַשְׁלִיךְ גַּרְעִינֵי הַתְּבוּאָה לָאָרֶץ וְעַל־יְדֵי חֶסֶד

order that they should buy from him. For the one who studies Torah constantly, God will dispatch messengers from afar to bring him all his needs. This is the reason that the Torah is referred to as "bread" (*lechem*, sustenance).

(*Sefer Chassidim*)

25 Livelihood Is from God

After a man passes away, he is brought before the Heavenly court and asked, "Did you handle your business affairs honestly (with *emunah*)?" *Emunah*, says the *Gemara*, relates to the first of the six orders of the *Mishnah* — *Zera'im* — which deals with the laws of farming.

(*Shabbos* 31a)

Tosefos, one of the early commentaries, explains how *emunah* (faith) is related to farming, and in turn, how *emunah* is intrinsically related to business affairs.

A farmer's livelihood is tied to the harvest and he will naturally place his faith in God, while the city worker's income appears predetermined. The latter is tempted to claim that "my strength and ingenuity have made me successful," while the farmer is not. Instead, the farmer sows the field with seeds and turns the soil over them. He then waits for them to decompose in the ground, all along turning to God to ask for wind and rain. Finally, at the harvest time, he gathers in his sheaves and produce. Therefore, the order of *Mishnah* dealing with farming is called *Emunah*.

Similarly, all monetary affairs must be conducted honestly. Just as the farmer casts his seeds into the ground and turns to God to have compassion on him, so everyone, whether he buys or sells an item, borrows or lends money, completes a business deal or the like, should have the same

הַבּוֹרֵא יְשַׁלֵּם חֶפְצוֹ, וְגַם זֶה נִכְלָל בְּנָשָׂאתָ וְנָתַתָּ בֶּאֱמוּנָה (מהקדמה לשב שמעתתא).

כו

רַשִׁ״י (תהלים לז, ג) פֵּרֵשׁ ״בְּטַח בַּיְיָ״ וְאַל תֹּאמַר אִם לֹא אֶגְזֹל וְאֶגְנֹב, וְאֶתֵּן לְעָנִי צְדָקָה בַּמֶּה אֶתְפַּרְנֵס, ״וַעֲשֵׂה טוֹב״ וְאָז תִּשְׁכֹּן אֶרֶץ לְאֹרֶךְ יָמִים. ״וּרְעֵה אֱמוּנָה״ תֹּאכַל וְתִתְפַּרְנֵס מִשְּׂכַר הָאֱמוּנָה שֶׁהֶאֱמַנְתָּ בַּקָּדוֹשׁ-בָּרוּךְ-הוּא לִסְמֹךְ עָלָיו וְלַעֲשׂוֹת טוֹב.

כז

אָמַר אֶחָד מִן הַחֲסִידִים שֶׁהָיָה לוֹ שָׁכֵן סוֹפֵר מָהִיר וְהָיָה מִתְפַּרְנֵס מִשְּׂכַר סִפְרוּתוֹ, אָמְרוּ לוֹ יוֹם אֶחָד אֵיךְ עִנְיָנְךָ? אָמַר בְּטוֹב בְּעוֹד יָדַי שְׁלֵמָה, וּלְעֶרֶב הַיּוֹם הַהוּא נִגְדְּעָה יָדוֹ וְלֹא כָתַב בָּהּ שְׁאָר יָמָיו, וְהָיָה זֶה עָנְשׁוֹ מֵהַשֵּׁם יִתְבָּרַךְ עַל אֲשֶׁר בָּטַח עַל יָדוֹ (חו״ה סוף שער הבטחון).

כח

הַבּוֹטֵחַ בַּשֵּׁם יִתְבָּרַךְ יוֹדֵעַ כִּי הַסִּבּוֹת כֻּלָּם אֵצֶל הַשֵּׁם יִתְבָּרַךְ שָׁווֹת, יִתֵּן לוֹ כַּמָּה שֶׁיִּרְצֶה וּבְעֵת שֶׁיִּרְצֶה מֵאֵיזֶה עִנְיָן שֶׁיִּרְצֶה (חו״ה שער הבטחון פ״ג פ״ד).

attitude. This is the meaning of the Heavenly court's question, "Did you handle your business affairs honestly (with *emunah*)?"

(*Shav Shematsa*)

❧ 26 ❧ God Provides When You Give Charity

Rashi elucidates *Tehillim* 37:3, "Trust in God and do good," in this way: Don't say, "If I act with absolute honesty, never stealing, and [I diminish my income further by] giving charity to the needy, how will I support myself?" Rather, "do good" and you will live a long time. "You will be nurtured by your faith," nourished and supported as a reward for the faith you had in God, by relying on Him and doing good.

❧ 27 ❧ God Judges the Saintly by Their Trust

Once there was a saintly man who earned his living as a scribe. One day he was asked, "How are things going for you?" He answered, "Great! As long as my hand is functional."

That night he was injured and was unable to ever write again. This was a punishment from God because he trusted in his hand.

(*Chovos Ha-levavos*)

❧ 28 ❧ God Gives What Is Appropriate

One who trusts in God understands that everything stems equally from the Almighty. God gives what is due him, at a time which is appropriate, and in the way He chooses.

(*Chovos Ha-levavos*)

כט

בְּנוֹת צְלָפְחָד שֶׁרָצוּ וּבִקְשׁוּ לְקַבֵּל חֵלֶק בָּאָרֶץ, בָּטְחוּ בַּשֵּׁם יִתְבָּרַךְ שֶׁבְּרֹב רַחֲמָיו וַחֲסָדָיו יִתֵּן לָהֶם חֵלֶק בָּאָרֶץ, וְהִתְפַּלְּלוּ אֵלָיו יִתְעַלֶּה שֶׁיְּרַחֵם עַל אֲבִיהֶם וְיִתֵּן לִבְנוֹתָיו אֲחֻזָּה בָּאָרֶץ, וּכְשֶׁרָאוּ לְפִי הָעִנְיָן שֶׁצָּרִיךְ לְדַבֵּר בָּזֶה עִם מֹשֶׁה, דִּבְּרוּ אִתּוֹ, וְהָבֵן זֶה מְאֹד כִּי הוּא יְסוֹד גָּדוֹל בְּמִצְוַת הַבִּטָּחוֹן שֶׁיִּתְנַהֵג כֵּן הָאָדָם תָּמִיד בְּכָל דָּבָר. (ראה עבד המלך פינחס עו: ותקרבנה בנות צלפחד).

ל

הַתּוֹרָה מְלַמֶּדֶת אוֹתָנוּ יְסוֹד גָּדוֹל וְלִמּוּד נוֹרָא בְּמִצְוַת הַבִּטָּחוֹן, כְּשֶׁאָדָם צָרִיךְ לִישׁוּעָה וְהַצָּלָה וְעֹשֶׂה בָּזֶה אֵיזֶה הִשְׁתַּדְּלוּת, אָסוּר לוֹ לִבְטֹחַ בְּמַעֲשֶׂה זֶה שֶׁיָּבִיא לוֹ הַצָּלָה, אֲבָל יִבְטַח בַּשֵּׁם יִתְבָּרַךְ בִּטָּחוֹן גָּמוּר וְשָׁלֵם שֶׁיַּעַזְרֵהוּ, אִם עַל־יְדֵי סִבָּה זוּ אוֹ עַל־יְדֵי אֳפָנִים אֲחֵרִים לְגַמְרֵי, וּבְוַדַּאי יַעַזְרֵהוּ, וְאִם הוּא רוֹאֶה שֶׁיֵּשׁ דֶּרֶךְ לְפָנָיו לַעֲשׂוֹת אֵיזֶה סִבָּה יַעֲשֶׂה זֹאת וְיִבְטַח בַּשֵּׁם יִתְבָּרַךְ שֶׁיַּצִּילֵהוּ, וִיבַקֵּשׁ רַחֲמִים שֶׁיַּצְלִיחֵהוּ, כִּמְבֹאָר בְּעֶבֶד הַמֶּלֶךְ (מגלת אסתר ד, יג).

לא

אָדָם הַזּוֹכֶה לַעֲשׂוֹת טוֹב וָחֶסֶד לֹא יַחֲשֹׁב וְלֹא יֹאמַר אֲנִי הוּא שֶׁעָשִׂיתִי וְעָזַרְתִּי לִפְלוֹנִי, וְאִם לֹא הָיִיתִי עוֹזֵר לוֹ מִי

◆ 29 ◆ Daughters of Tzelofchad

We can gain an important perspective in dealing with people from the story of the daughters of Tzelofchad. They were orphans who had no brothers to inherit their father's portion in *Eretz Yisrael*. They prayed to God to show mercy on their father, and grant them a portion in the land. When they realized that their request depended on speaking directly to the nation's leader, Moshe, they stepped forward and spoke up.

We can learn from this episode the greatness of trusting in God, and at the same time, how to deal with our fellow man.

(Eved Ha-melech)

◆ 30 ◆ Personal Effort Coupled with Trust

There is a fundamental principle of trusting in God. When a person is in need of any kind of help and he makes the effort which he feels is necessary, he must be cautious not to believe that the effort will bring him the successful outcome which he desires. His trust should be only in God, that He alone can help him, whether through the effort he made or through a completely different avenue.

When a person finds himself in some kind of predicament, he should take whatever steps are necessary to resolve it, all along trusting that God will be the saving hand. It is proper to pray for Divine mercy at a time like that.

(Eved Ha-melech)

◆ 31 ◆ Were It Not for Me

When a person has performed an act of kindness for someone, he should be careful not to say to himself, "I did such-and-such for him. Were it not for me, who knows

יוֹדֵעַ מֶה הָיָה מִמֶּנּוּ, אֲבָל יֵדַע וְיַאֲמִין שֶׁהַכֹּל הוּא מֵאֵת הַשֵּׁם יִתְבָּרֵךְ, וְיִשְׂמַח וְיוֹדֶה לַשֵּׁם עַל שֶׁזִּכָּהוּ וְגִלְגֵּל זְכוּת עַל־יָדוֹ לִהְיוֹת שָׁלִיחַ נֶאֱמָן מֵאִתּוֹ לְהֵיטִיב עִם בְּנֵי אָדָם וְלַעֲזוֹר לָהֶם, וּמֵחוֹבָתוֹ שֶׁל אָדָם לְחַפֵּשׂ וּלְהִשְׁתַּדֵּל וְלַעֲשׂוֹת כָּל מִינֵי עֵצוֹת וּפְעֻלּוֹת לְהֵיטִיב לִבְנֵי אָדָם בְּכָל מַה שֶּׁיּוּכַל, וְיִתְפַּלֵּל אֶל הַשֵּׁם יִתְבָּרֵךְ שֶׁיַּצְלִיחֵהוּ וִיגַלְגֵּל תָּמִיד זְכוּת עַל יָדוֹ.

לב

צָרִיךְ הָאָדָם לְהִתְבּוֹנֵן בְּעִנְיָנָיו וְיִרְאֶה הַשְׁגָּחַת הַשֵּׁם יִתְבָּרֵךְ עָלָיו עַל כָּל דָּבָר וְדָבָר, וּבָזֶה יִתְחַזֵּק אֶצְלוֹ מִצְוַת הַבִּטָּחוֹן וְזֶהוּ שֶׁאָמַר הַכָּתוּב (תהלים לד, ט) "טַעֲמוּ וּרְאוּ כִּי טוֹב יְיָ אַשְׁרֵי הַגֶּבֶר יֶחֱסֶה בּוֹ": רוֹצֶה לוֹמַר שֶׁיִּתְבּוֹנֵן הֵיטֵב כְּמוֹ שֶׁרוֹצֶה לִטְעֹם אֵיזֶה דָּבָר (מספר שם עולם).

who would have helped him."

Instead, he should realize and believe that everything is from God. He should be content and thankful to God for giving him the opportunity to be His faithful agent in bestowing kindness on others.

Out of a sense of indebtedness, a person should, to the best of his ability, seek ways to perform acts of kindness for others. He should pray to God to help him achieve this goal, and always be eager for the opportunity.

(*Eved Ha-melech*)

∾ 32 ∾ Meditation

When a person thinks carefully about himself, he will recognize how God has supervised every little thing in his life. This in turn will strengthen his trust in God, as *Tehillim* 34:9 says, "Reflect (taste) and see that Hashem is good; happy is the man who takes refuge in Him." One's meditation should be in the same way as when he desires to taste something.

(*Shem Olam*)

פֶּרֶק ה

בְּטָחוֹן וּבְרִיאוּת

א

בְּעִנְיַן הַבְּרִיאוּת וְהַחֹלִי יִבְטַח הָאָדָם בַּקָּדוֹשׁ־בָּרוּךְ־הוּא וְיִשְׁתַּדֵּל בְּהַתְמָדַת הַבְּרִיאוּת בְּסִבּוֹת אֲשֶׁר מִטִּבְעָם זֶה, וְלִדְחוֹת הַמַּדְוֶה בַּמֶּה שֶׁנָּהֲגוּ לִדְחוֹתוֹ כְּמוֹ שֶׁצִּוָּה הַבּוֹרֵא יִתְעַלֶּה (שמות כא, יט) "וְרַפֹּא יְרַפֵּא", מִבְּלִי שֶׁיִּבְטַח עַל סִבּוֹת הַבְּרִיאוּת וְהַחֹלִי שֶׁהֵן מוֹעִילוֹת אוֹ מַזִּיקוֹת אֶלָּא בִּרְשׁוּת הַבּוֹרֵא יִתְבָּרַךְ שְׁמוֹ, וְכַאֲשֶׁר יִבְטַח בַּבּוֹרֵא יִתְבָּרַךְ יְרַפְּאֵהוּ מֵחָלְיוֹ בְּסִבָּה וּבִלְתִּי סִבָּה כְּמוֹ שֶׁכָּתוּב (תהלים קז, כ) "יִשְׁלַח דְּבָרוֹ וְיִרְפָּאֵם וִימַלֵּט מִשְּׁחִיתוֹתָם": (חובת הלבבות שער הבטחון פ"ד).

ב

הַבִּטָּחוֹן הַמֻּטָּל עַל כֹּל, הוּא שֶׁיְּהֵא נָעוּץ בֶּאֱמוּנָתוֹ שֶׁל אָדָם וּבָרוּר בְּלִבּוֹ שֶׁהָעִלּוֹת הַטִּבְעִיּוֹת וְהָאֶמְצָעִים הָרְגִילִים מְסוּרִים בִּידֵי הַשְׁגָּחָה אֱלֹקִית פְּרָטִית לְגַבֵּי כָּל אֶחָד וְאֶחָד, לְכָל זְמַן וּלְכָל מַצָּב. וּבִרְצוֹתוֹ יִתְעַלֶּה הוֹלְכוֹת הָעִלּוֹת בְּדַרְכָּן הַטִּבְעִית שֶׁהֻתְוְתָה לָהֶן מֵרֹאשׁ, וּבִרְצוֹתוֹ סוֹטוֹת הֵן מִדַּרְכָּן הָרְגִילָה וְחוֹרְגוֹת מִתּוֹךְ טִבְעָם.

כָּל הַגּוֹרְמִים הַטִּבְעִיִּים כְּפוּפִים לְחֶפְצוֹ וּרְצוֹנוֹ יִתְעַלֶּה, וְעַל־פִּי פְּקֻדָּתוֹ וּרְשׁוּתוֹ פּוֹעֲלִים הֵם עַל רֹב בְּנֵי־הָאָדָם לְפִי

5

Trust and Well-Being

❧ 1 ☙ Health from a Torah Perspective

Concerning one's physical health, one should accustom himself to trust in God. One should endeavor to keep himself healthy, and use natural methods to reduce sickness as the Torah prescribes, saying, "He should surely heal himself" (*Shemos* 21:19). One should not believe that the cause of his well-being or illness is independent of God. Instead, a person should understand that everything is in God's hands, and he should believe that the cure which God will send him can be natural, above and/or beyond natural law, as the verse says, "He sends His word and heals them" (*Tehillim* 107:20).

(*Chovos Ha-levavos*)

❧ 2 ☙ The Proper Perspective

The proper attitude of trust is when man's faith is embedded and crystal clear in his heart that all natural forces and human efforts are simply vehicles of Divine supervision. This is done on a very individual basis, dependent upon age and circumstances.

According to His will, there transpires what we call the law of cause and effect (i.e., an aspirin lowers fever). So, too, these "cures" can deviate from their natural pathways and reappear as He sees fit.

All the laws of cause and effect are subordinate to God's desire and will, and according to His command and His

טִבְעָם בְּדֶרֶךְ הַיְדוּעָה לַכֹּל. וּבִפְקֻדָּתוֹ וּרְצוֹנוֹ פּוֹעֲלִים הֵם לִפְעָמִים בְּדֶרֶךְ הַהֲפוּכָה מִזּוֹ שֶׁנּוֹצְרוּ לָהּ, (רבינו אברהם בן הרמב"ם ז"ל בספר המספיק לעובדי ה').

ג

מִי שֶׁבָּטַח בִּשְׁעַת מַחֲלָתוֹ רַק בְּרוֹפְאוֹ וּבִרְפוּאוֹתָיו, זוֹהִי מַדְרֵגַת הַכּוֹפְרִים, אוֹ כְּפִירָה גְלוּיָה אוֹ כְּפִירָה נִסְתֶּרֶת, כְּגוֹן מִי שֶׁתִּרְאֵהוּ בּוֹטֵחַ בַּה' יִתְעַלֶּה מִן הַשָּׂפָה וְלַחוּץ וְיֹאמַר שֶׁה' הוּא הַמְפַרְנֵס וְהַמְרוֹשֵׁשׁ, הַמְחַיֶּה וְהַמֵּמִית, הַמּוֹחֵץ וְהַמְרַפֵּא, אֲבָל בְּסֵתֶר לִבּוֹ תּוֹלֶה הוּא אֶת בִּטְחוֹנוֹ בִּרְכִישַׁת נְכָסִים וּבְמַאֲמַצָּיו וּבְהִשְׁתַּדְּלוּתוֹ, וּלְעֵת מַחֲלָה רַק בִּתְרוּפַת הָרוֹפְאִים, וְהֵם הֵם הָרְשָׁעִים שֶׁעֲלֵיהֶם נֶאֱמַר (תהלים י, ד) "אֵין אֱלֹהִים כָּל מְזִמּוֹתָיו", וְהֵם תְּלוּיִים בְּאֶמְצָעִים בְּנֵי חֲלוֹף וּבְתִקְווֹת אַכְזָב, תּוֹעֲבַת נַפְשָׁם שֶׁל הַנְּבִיאִים וְהַצַּדִּיקִים, כְּמוֹ שֶׁאָמַר דָּוִד (שם לא, ז) "שָׂנֵאתִי הַשֹּׁמְרִים הַבְלֵי שָׁוְא וַאֲנִי אֶל יְיָ בָּטָחְתִּי". וְהֵם קְרוֹבִים לְמַדְרֵגַת הַכּוֹפְרִים אֶלָּא שֶׁכְּפִירָתָם נִסְתֶּרֶת וְאֵינֶנָּה מִתְגַּלֵּית בִּדְבַר שְׂפָתַיִם וּבְפַרְהֶסְיָא. הוּא הַדָּבָר אֲשֶׁר מִמֶּנּוּ נִקָּה עַצְמוֹ אִיּוֹב בְּאָמְרוֹ (איוב לא, כד) "אִם שַׂמְתִּי זָהָב כִּסְלִי וְלַכֶּתֶם אָמַרְתִּי מִבְטַחִי". וְעַל הַדָּבָר הַזֶּה אָמַר הַנָּבִיא (ירמיה יז, ה) "אָרוּר הַגֶּבֶר אֲשֶׁר יִבְטַח בָּאָדָם וְשָׂם בָּשָׂר זְרֹעוֹ וּמִן יְיָ יָסוּר לִבּוֹ" (שם).

will they may even react in a way which is the opposite
of their nature.

(R. Avraham ben Rambam)

❧ 3 ❦ False Trust

Someone who trusts solely in doctors and their medica-
tions when he is sick, is on the level of an atheist, be it
overt or covert. For instance, when you see someone
professing belief in God with his lips, saying, "God is the
One Who gives a livelihood and impoverishes, brings into
life and causes death, smites and heals," yet secretly he
trusts in his accumulated wealth and the success of his
entrepreneurship, and when he is sick he secretly trusts
in the medications the doctor prescribes — this type of
person is a wicked person, as the verse says, "The wicked
man...thinks: There is no God" (*Tehillim* 10:4).

Such people are dependent on transient means and false
hopes, the very epitome of what the prophets and righ-
teous men abhor. This is what David Ha-melech said of
them: "I despise those who long for transient and passing
things, but as for me, unto God do I trust" (ibid. 31:7).
They are close to being atheists, the only difference being
that their lack of belief is shrouded, invisible to the public
eye.

This is the point on which Iyov exonerated himself
(31:24), saying, "If I have made gold my hope, or have
said to the fine gold, You are my trust." The prophet
likewise said, "Cursed is the person who trusts in man
and makes flesh his arm, and whose heart departs from
Hashem" (*Yirmeyahu* 17:5).

(R. Avraham ben Rambam)

פֶּרֶק ו

בִּטָּחוֹן וּפַרְנָסָה

א

כְּתִיב (תהלים סח, כ) "בָּרוּךְ אֲדֹנָי יוֹם יוֹם יַעֲמָס לָנוּ הָאֵל יְשׁוּעָתֵנוּ סֶלָה": שֶׁבְּכָל יוֹם וָיוֹם הוּא עוֹמֵס וְטוֹעֵן לָנוּ בִּרְכוֹתָיו וְטוֹבוֹתָיו, וְיַכְנִיס בָּזֶה בְּלִבּוֹ בִּטָּחוֹן גָּמוּר בַּשֵּׁם יִתְבָּרַךְ שֶׁבְּכָל יוֹם וָיוֹם יַזְמִין לוֹ כָּל מַה שֶּׁצָּרִיךְ וְלֹא יִדְאַג כְּלָל מִיּוֹם עַל חֲבֵרוֹ, וּלְשׁוֹן הַגְּמָרָא (ביצה ט"ז) וּבֵית הִלֵּל אוֹמְרִים "בָּרוּךְ ה' יוֹם יוֹם", וּפֵרֵשׁ רַשִׁ"י יוֹם יוֹם יַעֲמָס לָנוּ אֶת צְרָכֵנוּ וְעֶזְרָתֵנוּ.

ב

הַבּוֹטֵחַ בֵּאלֹקִים טַרְפּוֹ מֻבְטָח לוֹ מִכָּל סִבָּה מִסִּבּוֹת הָעוֹלָם, כְּמוֹ שֶׁאָמַר הַכָּתוּב (דברים ח, ג) "לְמַעַן הוֹדִיעֲךָ כִּי לֹא עַל הַלֶּחֶם לְבַדּוֹ יִחְיֶה הָאָדָם כִּי עַל כָּל מוֹצָא פִּי יְיָ יִחְיֶה הָאָדָם". כִּי הַסִּבּוֹת אֵינָן נִבְצָרוֹת מִמֶּנּוּ בְּכָל עֵת וּבְכָל מָקוֹם כַּאֲשֶׁר יָדַעְתָּ מִדְּבַר אֵלִיָּהוּ עִם הָעוֹרְבִים (מלכים א יז), וְעִם הָאִשָּׁה הָאַלְמָנָה (שם), וְעֻגַת רְצָפִים וְצַפַּחַת הַמַּיִם (שם יט) וּדְבַר עֹבַדְיָהוּ עִם הַנְּבִיאִים שֶׁאָמַר (שם יח, יג) "וָאַחְבִּא מִנְּבִיאֵי יְיָ מֵאָה אִישׁ חֲמִשִּׁים חֲמִשִּׁים אִישׁ בַּמְּעָרָה וָאֲכַלְכְּלֵם לֶחֶם

6

Livelihood and Trust

❧ 1 ❧ He Bears Our Burdens

Tehillim 68:20, "Blessed be Hashem Who day by day bears our burden. God is our salvation, selah," may be understood in this way: Every day He brings and bestows on us His blessings and goodness. Therefore, one should meditate deeply on this and reach the fullest sense of trust in God, knowing that He daily prepares all of our needs. One should not worry at all about tomorrow.

Gemara Beitzah 16a says that Beis Hillel quoted this verse as a dictum to live by. Rashi explains it thus: Every day God shoulders our needs and aids us.

(Eved Ha-melech)

❧ 2 ❧ Not on Bread Alone

The author of *Chovos Ha-levavos* explains that a person who trusts in God is guaranteed his food. The manna was given to us to teach us that "Man does not live on bread alone, it is on the word of God that man sustains himself" (*Devarim* 8:3).

Nothing is beyond God's capability, no matter what the circumstances or the hour. We see this from the stories of Eliyahu and the ravens (*Melachim* 17:2-6), the story involving the impoverished widow (ibid., 8-16), and when he fled into the desert without food or water. On the verge of death, he miraculously found cake baked on coals and a flask of water by his head (I *Melachim* 19:1-8). Ovadyah, living in the time of the wicked Izevel, personally hid and fed a hundred prophets during a famine.

וָמָיִם": וְאָמַר (תהלים לד, יא) "כְּפִירִים רָשׁוּ וְרָעֵבוּ וְדֹרְשֵׁי יְיָ לֹא יַחְסְרוּ כָל טוֹב": וְאָמַר (שָׁם י) "יְראוּ אֶת יְיָ קְדשָׁיו כִּי אֵין מַחְסוֹר לִירֵאָיו": (חובת הלבבות ריש שער הבטחון).

ג

כְּתִיב (משלי כב, יט) "לִהְיוֹת בַּייָ מִבְטַחֶךָ הוֹדַעְתִּיךָ הַיּוֹם אַף אָתָּה": נִצְטַוִּינוּ בָּזֶה לִבְטֹחַ בַּשֵּׁם יִתְבָּרַךְ שֶׁיַּזְמִין לָנוּ פַּרְנָסָתֵנוּ וְכָל צָרְכֵּנוּ וְנִתְחַזֵּק מְאֹד בְּלִמּוּד הַתּוֹרָה וְקִיּוּם מִצְוֹתֶיהָ וְלֹא נִפְרשׁ מִן הַתּוֹרָה מִפְּנֵי טַעֲנַת פַּרְנָסָה (עבד המלך).

ד

אָמַר הַכָּתוּב (שמות טז, לב) "וַיֹּאמֶר משֶׁה זֶה הַדָּבָר אֲשֶׁר צִוָּה יְיָ מְלֹא הָעֹמֶר מִמֶּנּוּ לְמִשְׁמֶרֶת לְדֹרֹתֵיכֶם לְמַעַן יִרְאוּ אֶת הַלֶּחֶם אֲשֶׁר הֶאֱכַלְתִּי אֶתְכֶם בַּמִּדְבָּר בְּהוֹצִיאִי אֶתְכֶם מֵאֶרֶץ מִצְרָיִם": נִצְטַוִּינוּ בָּזֶה לִרְאוֹת וּלְהִתְבּוֹנֵן אֵיךְ שֶׁהַקָּדוֹשׁ־בָּרוּךְ־הוּא זָן וּפִרְנֵס אֶת אֲבוֹתֵינוּ בַּמִּדְבָּר בְּאֶרֶץ צִיָּה וַעֲרָבָה וְנָתַן לָהֶם מָן לֶאֱכֹל וְלֹא הָיָה חָסֵר לָהֶם שׁוּם דָּבָר, וְנִתְחַזֵּק מְאֹד בְּלִמּוּד הַתּוֹרָה וְקִיּוּם מִצְוֹתֶיהָ, וְנִבְטַח בַּשֵּׁם יִתְבָּרַךְ שֶׁיַּזְמִין לָנוּ פַּרְנָסָתֵנוּ מִיָּדוֹ הָרְחָבָה וְהַמְּלֵאָה בְּהֶתֵּר וּבְרֶוַח, וְלֹא נִפְרשׁ מִן הַתּוֹרָה מִפְּנֵי טַעֲנַת פַּרְנָסָה (עבד המלך, ועיין שם בנתיב מצוותיך).

Tehillim 34:11 expresses this: "The young lions lack and suffer hunger, but those who seek Hashem shall not lack any good thing." "Fear God, you holy ones of His. For there is no deprivation for those who fear Him" (ibid. 34:10).

(*Chovos Ha-levavos*)

⋙ 3 ⋘ Providing for a Livelihood

It says in *Mishlei* 22:19, "So that your trust may be in God, I have made known to you this day, even to you." This verse teaches us to trust that God will provide a livelihood and all our needs for us. We should also maximize our study of Torah and the fulfillment of commandments, and not claim that making a living is an excuse for not studying Torah.

(*Eved Ha-melech*)

⋙ 4 ⋘ Lesson of the Manna

"Moshe said, 'This is the thing which Hashem commands: Fill an omer of manna to be kept for your generations; that they may see the bread with which I fed you in the wilderness, when I brought you out from the land of Egypt'" (*Shemos* 16:32).

This teaches us to see and reflect upon how Hashem fed and nourished our forefathers in an arid wilderness with manna, where they lacked for nothing. Also, we learn from here to study Torah and fulfill the commandments with all our strength, believing that God will provide us with an income of the best sort, without our claiming that earning a living leaves no time for Torah study.

(*Eved Ha-melech*)

ה

וְיִרְמְיָה אָמַר ״הַדּוֹר אַתֶּם רְאוּ דְבַר יְיָ הֲמִדְבָּר הָיִיתִי לְיִשְׂרָאֵל אִם אֶרֶץ מַאְפֵּלְיָה״ (ירמיה ב, לא). בִּימֵי יִרְמְיָהוּ, כְּשֶׁהָיָה יִרְמְיָהוּ מוֹכִיחָם לָמָּה אֵין אַתֶּם עוֹסְקִים בַּתּוֹרָה, וְהֵם אוֹמְרִים נַנִּיחַ מְלַאכְתֵּנוּ וְנַעֲסֹק בַּתּוֹרָה מֵהֵיכָן נִתְפַּרְנֵס, הוֹצִיא לָהֶם צִנְצֶנֶת הַמָּן אָמַר לָהֶם רְאוּ דְּבַר הַשֵּׁם, ״שִׁמְעוּ״ לֹא נֶאֱמַר אֶלָּא ״רְאוּ״, בָּזֶה נִתְפַּרְנְסוּ אֲבוֹתֵיכֶם, הַרְבֵּה שְׁלוּחִין יֵשׁ לוֹ לַמָּקוֹם לְהָכִין מָזוֹן לִירֵאָיו (רש״י בשלח טז, לב).

ו

טוֹב לוֹמַר פָּרָשַׁת הַמָּן בְּכָל יוֹם (שו״ע או״ח סימן א). כְּדֵי שֶׁיַּאֲמִין שֶׁכָּל מְזוֹנוֹתָיו בָּאִים בְּהַשְׁגָּחָה פְּרָטִית, וּכְדִכְתִיב בְּפָרָשַׁת הַמָּן (שמות טז, יז־יח) ״וַיַּעֲשׂוּ כֵן בְּנֵי יִשְׂרָאֵל וַיִּלְקְטוּ הַמַּרְבֶּה וְהַמַּמְעִיט: וַיָּמֹדּוּ בָעֹמֶר וְלֹא הֶעְדִּיף הַמַּרְבֶּה וְהַמַּמְעִיט לֹא הֶחְסִיר אִישׁ לְפִי אָכְלוֹ לָקָטוּ:״ לְהוֹרוֹת שֶׁאֵין רִבּוּי הַהִשְׁתַּדְּלוּת מוֹעִיל מְאוּמָה. וְאִיתָא בִּירוּשַׁלְמִי כָּל הָאוֹמֵר פָּרָשַׁת הַמָּן מֻבְטָח לוֹ שֶׁלֹּא יִתְמַעֲטוּ מְזוֹנוֹתָיו (משנה ברורה).

◆ 5 ◆ See the Manna!

The prophet Yirmeyahu called out, "O generation, see the word of God. Have I been a wilderness to Yisrael? A land of darkness?" (*Yirmeyahu* 2:31). When Yirmeyahu reproached the people with the question, Why aren't you studying more Torah?, they answered him with a question, How will we make a living if we leave aside our work and study Torah?

Yirmeyahu took out the flask of manna and said, "See the word of God." The verse did not say, "Hear the word of God" — it said, "See...that from this manna your forefathers were sustained. There are many ways at God's disposal to nourish those who fear Him."

(Rashi)

◆ 6 ◆ The Recitation of the Portion of the Manna

The *Shulchan Aruch* suggests that one recite the paragraph describing the manna every day. This will bring one to truly believe that his food comes to him as a result of God's personal supervision.

The *Mishnah Berurah* adds that the following verses on the manna attest to the fact that excessive emphasis on making a livelihood bears no fruit. "The children of Yisrael did so, and they gathered (the manna) some more, some less. And when they measured it with the omer, he that gathered much had nothing left over, and he that gathered little lacked nothing; everyone gathered according to his eating" (*Shemos* 16:17-18).

The *Talmud Yerushalmi* states that everyone who recites the paragraph on the manna is guaranteed that he will never lack food.

(*Mishnah Berurah*, I: 5:13)

בַּאֲמִירַת פָּרָשַׁת הַמָּן יְכַוֵּן שְׁתֵּי כַּוָּנוֹת: א. מִצְוַת לִמּוּד תּוֹרָה שֶׁכָּל תֵּבָה שֶׁלּוֹמֵד הִיא מִצְוָה בִּפְנֵי עַצְמָהּ. ב. עַל־יְדֵי זֶה יִתְחַזֵּק אֱמוּנָתוֹ וּבִטְחוֹנוֹ בַּשֵּׁם יִתְבָּרֵךְ שֶׁהוּא הַזָּן וּמְפַרְנֵס לַכֹּל. וְלֹא יִהְיֶה כַּוָּנָתוֹ בִּשְׁבִיל סְגֻלָּה כְּדֵי שֶׁיִּהְיֶה לוֹ פַּרְנָסָה, שֶׁלֹּא יִהְיֶה כְּעוֹבֵד עַל מְנָת לְקַבֵּל פְּרָס.

ז

אָמַר הַקָּדוֹשׁ־בָּרוּךְ־הוּא (שמות טז, יב) "שָׁמַעְתִּי אֶת תְּלֻנּוֹת בְּנֵי יִשְׂרָאֵל דַּבֵּר אֲלֵהֶם לֵאמֹר בֵּין הָעַרְבַּיִם תֹּאכְלוּ בָשָׂר וּבַבֹּקֶר תִּשְׂבְּעוּ לָחֶם וִידַעְתֶּם כִּי אֲנִי יְיָ אֱלֹהֵיכֶם": רוֹאִים אָנוּ מִפָּסוּק זֶה שֶׁהַשֵּׁם יִתְבָּרֵךְ אָמַר שֶׁעַל־יְדֵי מַה שֶּׁתֹּאכְלוּ בָּעֶרֶב בָּשָׂר וּבַבֹּקֶר לֶחֶם תַּשִּׂיגוּ יְדִיעָה כִּי אֲנִי הַשֵּׁם אֱלֹקֵיכֶם, וּכְמוֹ שֶׁאָמְרוּ רַזַ"ל שֶׁלְּכָךְ הָיָה הַשֵּׁם נוֹתֵן מָן בְּכָל יוֹם וָיוֹם וְלֹא הָיָה נוֹתֵן מָן פַּעַם אַחַת עַל שָׁבוּעַ אוֹ עַל חֹדֶשׁ אוֹ עַל שָׁנָה, כְּדֵי שֶׁבְּכָל בֹּקֶר וּבֹקֶר כְּשֶׁהַיְלָדִים הָיוּ שׁוֹאֲלִים לַאֲבִיהֶם וְאִמָּם לַלֶּחֶם, הָיוּ מְשִׁיבִים לָהֶם נֵצֵא הַשָּׂדֶה וְנִרְאֶה אִם הַשֵּׁם נָתַן מָן יִהְיֶה לָנוּ לֶחֶם, וּבָזֶה הָיָה נִשְׁרַשׁ בָּהֶם אֱמוּנָה שְׁלֵמָה וּבִטָּחוֹן גָּמוּר בַּשֵּׁם יִתְבָּרֵךְ. וְכֵן בְּעִנְיַן הַבָּשָׂר הָיוּ רוֹאִים הַשְׁגָּחָה פְּרָטִית. וְכֹה הִתְמִיד הַדָּבָר אַרְבָּעִים שָׁנָה, וּבְנֵי יִשְׂרָאֵל אָכְלוּ אֶת הַמָּן אַרְבָּעִים שָׁנָה, וְהָיוּ מַשִּׂיגִים בָּזֶה בְּכָל יוֹם יְדִיעָה וֶאֱמוּנָה בְּהַשְׁגָּחָה פְּרָטִית שֶׁהַשֵּׁם הוּא הַזָּן וּמְפַרְנֵס וּמְכַלְכֵּל מִקַּרְנֵי רְאֵמִים עַד בֵּיצֵי כִנִּים. "וְלֹא הֶעְדִּיף הַמַּרְבֶּה וְהַמַּמְעִיט לֹא הֶחְסִיר" שֶׁרִבּוּי הַהִשְׁתַּדְּלוּת לֹא יוֹעִיל כְּלָל וּכְלָל.

There are two thoughts one should have when reciting the paragraph on the manna. The first is that one is now fulfilling the commandment of learning Torah. Each word that one says is a commandment by itself. The second is the acknowledgment that one is reading this paragraph in order to strengthen his faith and trust that God is his provider. The reading should not be conceived of as some secret formula for guaranteeing a good livelihood. One should not serve God on the condition that he receive a reward.

(Eved Ha-melech)

≥ 7 ≈   The Manna as a Reminder

"I have heard the murmurings of the children of Yisrael. Speak to them, saying: At dusk you shall eat flesh (quails), and in the morning you shall be filled with bread (manna), and you shall know that I am Hashem your God" (*Shemos* 16:12).

Scripture attributes their knowledge of Godliness to the quail meat they ate at night and the manna they ate by day. The *Gemara* tells how they received the sustenance of manna every day, and not every week, month, or year, to teach them that when their children would ask them for bread in the morning, they would answer, "Let's go out to the field and see if God gave us manna to eat." Thus, this daily occurrence of having their needs met planted in them the strongest possible faith in God. The same applied to the meat.

Throughout the forty years in the wilderness they ate the manna with this attitude, and daily achieved recognition and faith in His personal supervision of them and all creatures, from the largest to the very smallest.

"He that gathered much had nothing left over, and he that gathered little lacked nothing," teaches that overexertion to provide an income will not help.

וְהִנֵּה אֲנַחְנוּ אַף שֶׁאֵין אָנוּ אוֹכְלִים מָן בְּכָל יוֹם כְּסֵדֶר שֶׁהָיָה בַּמִּדְבָּר, אֲבָל הֲלֹא מַאֲמִינִים אֲנַחְנוּ בְּלֵב שָׁלֵם וַאֲמִתִּי שֶׁכָּל מְזוֹנוֹתֵינוּ וְכָל דְּבָרֵינוּ וְעִנְיָנֵינוּ הַכֹּל הוּא מֵאֵת הַשֵּׁם, וְרַק נַעֲשָׂה הַדָּבָר עַל־יְדֵי שְׁלוּחִים בִּרְצוֹנוֹ יִתְעַלֶּה, וְיָדוּעַ הוּא דִּלְפְנֵי הַשֵּׁם אֵין שׁוּם חִלּוּק אִם נוֹתֵן לָנוּ לֶחֶם עַל־יְדֵי שְׁלוּחִים אוֹ שֶׁהָיָה נוֹתֵן לָנוּ לֶחֶם מִן הַשָּׁמַיִם, וְאֵין שׁוּם דָּבָר קָשֶׁה לִפְנֵי הַשֵּׁם יִתְבָּרֵךְ וְלֹא שַׁיָּךְ לְפָנָיו לֹא נִסִּים וְלֹא נִפְלָאוֹת וְלֹא נוֹרָאוֹת, כִּי הֲלֹא כֹּל יָכוֹל הוּא וְאֵין שׁוּם דָּבָר נִמְנָע לְפָנָיו, וְרַק לְגַבֵּי עַצְמֵנוּ כְּשֶׁאָנוּ רוֹאִים דָּבָר שֶׁיּוֹצֵא מִדֶּרֶךְ הַסֵּדֶר הָרָגִיל אָנוּ קוֹרְאִים זֶה נִסִּים וְנִפְלָאוֹת וְנוֹרָאוֹת, אֲבָל בֶּאֱמֶת אֲנַחְנוּ חַיָּבִים לְהַאֲמִין כְּמוֹ שֶׁכָּתַב הָרַמְבַּ״ן ז״ל (סוף פרשת בא) מִן הַנִּסִּים הַגְּדוֹלִים הַמְפֻרְסָמִים אָדָם מוֹדֶה בַּנִּסִּים הַנִּסְתָּרִים שֶׁהֵם יְסוֹד הַתּוֹרָה כֻּלָּהּ, שֶׁאֵין לְאָדָם חֵלֶק בְּתוֹרַת מֹשֶׁה רַבֵּנוּ עַד שֶׁנַּאֲמִין בְּכָל דְּבָרֵינוּ וּמִקְרֵינוּ שֶׁכֻּלָּם נִסִּים אֵין בָּהֶם טֶבַע וּמִנְהָגוֹ שֶׁל עוֹלָם בֵּין בָּרַבִּים בֵּין בְּיָחִיד הַכֹּל בִּגְזֵרַת עֶלְיוֹן עכ״ל, וְטוֹב שֶׁבְּכָל פַּעַם שֶׁאוֹכֵל, שֶׁיִּתְבּוֹנֵן וְיַרְגִּישׁ בָּזֶה הַשְׁגָּחָתוֹ הַפְּרָטִית עָלָיו לְהַזְמִין לוֹ מְזוֹנוֹ וְהִצְטָרְכוּתוֹ וְהַכֹּל בִּגְזֵרַת עֶלְיוֹן בְּצֶדֶק וּבְמִשְׁפָּט בְּחֶסֶד וּבְרַחֲמִים.

ח

אָמַר הַכָּתוּב (ישעיה נ, י׳) ״מִי בָכֶם יְרֵא יְיָ שֹׁמֵעַ בְּקוֹל עַבְדּוֹ אֲשֶׁר הָלַךְ חֲשֵׁכִים וְאֵין נֹגַהּ לוֹ יִבְטַח בְּשֵׁם יְיָ וְיִשָּׁעֵן בֵּאלֹהָיו״: נִצְטַוִּינוּ בָּזֶה לִבְטֹחַ בַּקָּדוֹשׁ־בָּרוּךְ־הוּא אַף בְּעֵת דֹּחַק וְצָרָה חָלִילָה וְלֹא יִמְנַע מִלַּעֲשׂוֹת מִצְוָה מִפְּנֵי חִסָּרוֹן בִּטָּחוֹן (עבד המלך). ״שֹׁמֵעַ בְּקוֹל עַבְדּוֹ״ בְּקוֹל הַנְּבִיאִים, ״אֲשֶׁר הָלַךְ חֲשֵׁכִים וְאֵין נֹגַהּ לוֹ אֲפִלּוּ צָרָה בָּאָה עָלָיו יִבְטַח בְּשֵׁם הַשֵּׁם כִּי הוּא יַצִּילֵהוּ״ (רש״י).

Although we do not eat manna as our forefathers did in the wilderness, we should still firmly believe that our food, and everything else as well, comes from the Almighty. Instead of heavenly bread, God sends us bread through a network of farmers, millers, and bakers. The end result, however, is the same: they both come from God, of Whom it says that there is nothing beyond His capabilities. Only we, when we hear about something like the manna (which did not come about by normal means) call it miraculous.

Concerning this the Ramban writes, "Through the great and well-known miracles, one comes to admit the hidden miracles which constitute the foundation of the whole Torah, for no one can have a part in the Torah of Moshe unless he believes that all the words and events in the Torah are miraculous in scope, there being no natural or customary way of the world in them, whether affecting the public or the individual. It is all by decree of the Most High."

It is a good idea to think about how God's personal supervision has brought you the food you are eating, realizing that everything comes about through a just and merciful Divine decree.

(*Eved Ha-melech*)

8 Even in the Darkest Circumstances

The Prophet Yeshayahu wrote, "Who is there among you that fears God, that obeys the voice of His servant (the prophet), that walks in darkness, and has no light? Let him trust in the name of Hashem, and rely upon his God" (*Yeshayahu* 50:10).

This verse teaches us to trust in God even under the most dire circumstances, and to never cease from performing the commandments, for lack of faith.

(*Eved Ha-melech*)

ט

אָמַר רָבִין בַּר רַב אֲדָא אָמַר רַבִּי יִצְחָק, כָּל הָרָגִיל לָבֹא לְבֵית הַכְּנֶסֶת וְלֹא בָא יוֹם אֶחָד, הַקָּדוֹשׁ־בָּרוּךְ־הוּא מַשְׁאִיל בּוֹ שֶׁנֶּאֱמַר "מִי בָכֶם יְרֵא יְיָ שֹׁמֵעַ בְּקוֹל עַבְדּוֹ אֲשֶׁר הָלַךְ חֲשֵׁכִים וְאֵין נֹגַהּ לוֹ", אִם לְדָבָר מִצְוָה הָלַךְ "נֹגַהּ לוֹ", וְאִם לְדָבָר הָרְשׁוּת הָלַךְ "אֵין נֹגַהּ לוֹ, יִבְטַח בְּשֵׁם יְיָ" מַאי טַעֲמָא מִשּׁוּם דַּהֲוָה לֵהּ לִבְטֹחַ בְּשֵׁם הַשֵּׁם וְלֹא בָטַח (ברכות ו.).

מַשְׁאִיל בּוֹ, מַה טִּיבוֹ שֶׁל פְּלוֹנִי לָמָּה לֹא בָא. יְרֵא הַשֵּׁם, שֶׁהָיָה רָגִיל לָבֹא אֵלָיו. אֲשֶׁר הָלַךְ חֲשֵׁכִים וְאֵין נֹגַהּ לוֹ, אֲשֶׁר עַתָּה הָלַךְ לְמָקוֹם חֹשֶׁךְ אֲשֶׁר יִמְנַע עַצְמוֹ מִלְּהַשְׁכִּים לְפִתְחֵי (רש"י).

יֵשׁ אָדָם שֶׁיָּכוֹל לִטְעוֹת וְיַחְשֹׁב כִּי גַּם זֶה הוּא דְּבַר מִצְוָה כְּשֶׁהוֹלֵךְ בִּסְחוֹרָתוֹ לְהַרְוִיחַ בָּהּ וּלְפַרְנֵס בְּנֵי בֵיתוֹ, עַל־כֵּן אָמַר שֶׁיִּבְטַח בְּשֵׁם הַשֵּׁם שֶׁהָיָה לוֹ לִבְטֹחַ בַּשֵּׁם שֶׁיִּתֵּן לוֹ פַּרְנָסָתוֹ, וְלֹא הָיָה לוֹ לְהִמָּנַע מִבֵּית הַכְּנֶסֶת (מהרש"א).

י

"אִישׁ אֱמוּנוֹת רַב בְּרָכוֹת וְאָץ לְהַעֲשִׁיר לֹא יִנָּקֶה": "אִישׁ אֱמוּנוֹת" הַמַּאֲמִין וְהוּא הַשָּׁלֵם בְּמִדַּת הַבִּטָּחוֹן לוֹ "רַב בְּרָכוֹת", אֲבָל הָ"אָץ לְהַעֲשִׁיר" שֶׁרוֹדֵף אַחַר הַמָּמוֹן תָּמִיד "לֹא יִנָּקֶה" (באור הגר"א משלי כח, כ).

יא

אָמְרוּ רַזַ"ל "אִישׁ אֱמוּנוֹת רַב בְּרָכוֹת", זֶה הַנּוֹשֵׂא וְנוֹתֵן

≈ 9 ≈   Time for Prayers

Gemara Berachos 6a says: Rabin bar Rav Adda said in the name of R. Yitzchak, "One who prays regularly in a synagogue and one day fails to come to services, God inquires after him to know why he didn't come. This is based on the verse (*Yeshayahu* 50:10), 'Who is there among you that fears Hashem' — one who prays regularly in *shul*; '...that walks in darkness, and has no light' — one who stopped coming to synagogue today."

The Maharsha explains the above *Gemara* by saying that it is conceivable for a person to mistakenly think that leaving on his business trip is a mitzvah, since he will make money to support his family. Therefore, the verse declares "trust in God" (ibid.) that He will provide you with an income, and don't use it as an excuse to stop praying in the synagogue.

(Maharsha)

≈ 10 ≈   Pursuit of Wealth

"A faithful man shall abound with blessings, but he who runs after wealth shall not go unpunished" (*Mishlei* 28:20). The Vilna Gaon explains that "a faithful man" is one who believes and has complete trust in God. He will abound with blessings. But the one who "runs after wealth," constantly in pursuit of money, shall not go unpunished.

(Vilna Gaon)

≈ 11 ≈   Honest Businessman

R. Chayim Vital quotes the *Midrash* which interprets the verse in *Mishlei* 28:20, "An honest man shall abound with blessings," to portray one who handles his business dealings honestly. His business shall prosper, and God will assure

בֶּאֱמוּנָה שֶׁנְּכָסָיו מִתְבָּרְכִים וְהַקָּדוֹשׁ־בָּרוּךְ־הוּא מַזְמִין לוֹ פַּרְנָסָתוֹ, וְלֹא עוֹד אֶלָּא שֶׁנִּקְרָא צַדִּיק שֶׁנֶּאֱמַר (חבקוק ב, ד) "וְצַדִּיק בֶּאֱמוּנָתוֹ יִחְיֶה", וְאָמְרוּ רַזַ"ל תַּרְיַ"ג מִצְוֹת נֶאֶמְרוּ לוֹ לְמֹשֶׁה וְכוּ' בָּא חֲבַקּוּק וְהֶעֱמִידָן עַל אַחַת שֶׁנֶּאֱמַר "וְצַדִּיק בֶּאֱמוּנָתוֹ יִחְיֶה" (שערי קדושה לרח"ו ח"ב ש"ה).

יב

הַבֹּטֵחַ בַּשֵּׁם יִתְבָּרֵךְ אַף אִם הָיָה נִמְצָא חָלִילָה בְּמַצָּב קָשֶׁה מְאֹד וְנִפְסַק מִמֶּנּוּ פַּרְנָסָתוֹ וְכַלְכָּלָתוֹ לֹא יִדְאַג וְלֹא יֹאמַר מַה יִּהְיֶה עִמָּדִי, מֵאֵיפֹה יִהְיֶה לִי כָּעֵת פַּרְנָסָתִי וְכַלְכָּלָתִי, מִי יְטַפֵּל בִּי, אֲבָל יִהְיֶה לִבּוֹ נָכוֹן וּבָטוּחַ בַּקָּדוֹשׁ־בָּרוּךְ־הוּא, וּבְפֶה מָלֵא וְלֵב שָׂמֵחַ מָלֵא תִקְוָה יַגִּיד וְיֹאמַר, וְכִי בְּנֵי אָדָם הֵם הַנּוֹתְנִים לִי פַּרְנָסָה, חַס וְשָׁלוֹם, וְכִי הֵם הַמְטַפְּלִים וְעוֹזְרִים לִי חָלִילָה, הֲלֹא הַקָּדוֹשׁ־בָּרוּךְ־הוּא זָן וּמְפַרְנֵס מִקַּרְנֵי רְאֵמִים עַד בֵּיצֵי כִנִּים וְהוּא אֲשֶׁר גִּדְּלַנִי וְזָן וּפִרְנֵס אוֹתִי מִיּוֹם הִוָּלְדִי עַד הַיּוֹם הַזֶּה, כִּי אַתָּה גֹחִי מִבָּטֶן מַבְטִיחִי עַל שְׁדֵי אִמִּי, וְגַם עַד זִקְנָה וְשֵׂבָה אַל יַעַזְבֵנִי וְאַל יִטְּשֵׁנִי בְּחַסְדּוֹ הַגָּדוֹל יִתְעַלֶּה, וּבְנֵי הָאָדָם הֵם רַק סִבּוֹת וּשְׁלוּחִים מֵאֵת הַקָּדוֹשׁ־בָּרוּךְ־הוּא וְאִם לֹא יִהְיֶה פַּרְנָסָתִי וְטִפּוּלִי עַל־יְדֵי סִבָּה וְשָׁלִיחַ זֶה, יִהְיֶה פַּרְנָסָתִי וְטִפּוּלִי וְכָל צָרְכִּי עַל־יְדֵי סִבּוֹת וּשְׁלוּחִים אֲחֵרִים וְהַכֹּל מֵאִתּוֹ יִתְעַלֶּה.

יג

"אַל תִּקַּח מֵאִתּוֹ נֶשֶׁךְ וְתַרְבִּית וְגוֹ' אֶת כַּסְפְּךָ לֹא תִתֵּן לוֹ בְּנֶשֶׁךְ וּבְמַרְבִּית לֹא תִתֵּן אָכְלֶךָ: אֲנִי יְיָ אֱלֹהֵיכֶם אֲשֶׁר הוֹצֵאתִי אֶתְכֶם מֵאֶרֶץ מִצְרַיִם לָתֵת לָכֶם אֶת אֶרֶץ כְּנָעַן לִהְיוֹת לָכֶם לֵאלֹהִים" (ויקרא כה, לו־לט): מִכָּאן אָמְרוּ כָּל הַמְקַבֵּל עֹל

him a livelihood. Furthermore, such a man is called a
tzaddik, as the verse says, "The *tzaddik* shall live by his
faith" (*Chavakkuk* 2:4). The *Gemara Makkos* 24a says that
there are 613 commandments. Chavakkuk came and
consolidated them into one commandment, as it says, "The
tzaddik shall live by his faith."

(*Shaarei Kedushah*)

✺ 12 ✺ When Out of a Job

One should trust in God even if, God forbid, he finds
himself in dire straits without any livelihood. He should
not worry and say, "What will become of me? How will
I make ends meet?" Instead, he should trust in God and
declare orally with a joyful heart full of hope, "Do people
have to give me work, or come to my aid? Doesn't God
feed and sustain everything from the largest beasts to the
tiniest creatures? Hasn't He taken care of me from the
day I was born until today? 'You are the One who drew
me out of the womb, and made me secure when I was
on my mother's breasts' (*Tehillim* 22:10). Even in my old
age You shall not forsake me. Anything that comes my
way via other people is merely Heaven-sent, and should
my livelihood not come through this or that person or
agent, then it shall come about through other means since
everything comes from God."

(*Eved Ha-melech*)

✺ 13 ✺ Why Usury Is Wrong

The *Midrash* (*Toras Kohanim*) explains the command-
ment (*Vayikra* 25:36-38) of not taking usury or interest
from a fellow Jew in this way: Everyone who accepts the
yoke of not taking usury is really accepting the yoke of

רִבִּית מְקַבֵּל עֹל שָׁמַיִם, וְכָל הַפּוֹרֵק מִמֶּנּוּ עֹל רִבִּית פּוֹרֵק מִמֶּנּוּ עֹל שָׁמַיִם, "אֲנִי יְיָ אֱלֹהֵיכֶם אֲשֶׁר הוֹצֵאתִי אֶתְכֶם", עַל תְּנַאי כָּךְ הוֹצֵאתִי אֶתְכֶם מֵאֶרֶץ מִצְרַיִם שֶׁתְּקַבְּלוּ אֶת מִצְוַת רִבִּית, שֶׁכָּל הַמּוֹדֶה בְּמִצְוַת רִבִּית מוֹדֶה בִּיצִיאַת מִצְרַיִם, וְכָל הַכּוֹפֵר בְּמִצְוַת רִבִּית כְּאִלּוּ כּוֹפֵר בִּיצִיאַת מִצְרַיִם (תורת כהנים). פֵּרוּשׁ, כָּל הַמּוֹדֶה בְּמִצְוַת רִבִּית מוֹרֶה שֶׁמַּאֲמִין בַּשֵּׁם שֶׁהוּא מַשְׁגִּיחַ עַל כָּל הָעוֹלָם וּמְפַרְנְסָם וּמְכַלְכְּלָם וְלֹא יֶחְסַר לוֹ מֵהַשְׁפָּעָתוֹ כִּמְלֹא נִמָּה אַף אִם לֹא יִקַּח רִבִּית, וְעִנְיָן זֶה הוֹרָה לָנוּ בְּאֶרֶץ מִצְרַיִם שֶׁהוּא אֱלֹקֵי הָעוֹלָם, כְּמוֹ (שמות ח, יח) "לְמַעַן תֵּדַע כִּי אֲנִי יְיָ בְּקֶרֶב הָאָרֶץ", וְכָל הַכּוֹפֵר בְּמִצְוַת רִבִּית שֶׁחוֹשֵׁב בְּנַפְשׁוֹ שֶׁפַּרְנָסָתוֹ תְּלוּיָה רַק בְּכֹחוֹ וְעֹצֶם יָדוֹ וְזֶה יַעֲשֶׂה לוֹ חַיִל מוֹרֶה שֶׁהוּא כּוֹפֵר בְּהַשְׁגָּחָה (חפץ חיים).

יד

צָרִיךְ לְכַוֵּן בִּתְהִלָּה לְדָוִד [אַשְׁרֵי], דְּאָמַר רַבִּי אֶלְעָזָר כָּל הָאוֹמֵר תְּהִלָּה לְדָוִד בְּכָל יוֹם שָׁלֹשׁ פְּעָמִים מֻבְטָח לוֹ שֶׁהוּא בֶּן הָעוֹלָם הַבָּא, וְיוֹתֵר יְכַוֵּן בְּפָסוּק "פּוֹתֵחַ אֶת יָדֶךָ" שֶׁעִקָּר מַה שֶּׁקְּבָעוּהוּ לוֹמַר בְּכָל יוֹם הוּא בִּשְׁבִיל אוֹתוֹ פָּסוּק שֶׁמַּזְכִּיר בּוֹ שִׁבְחוֹ שֶׁל הַקָּדוֹשׁ-בָּרוּךְ-הוּא שֶׁמַּשְׁגִּיחַ עַל בְּרִיּוֹתָיו וּמְפַרְנְסָן (טור או"ח סימן נ"א).

צָרִיךְ לְכַוֵּן בְּפָסוּק פּוֹתֵחַ אֶת יָדֶךָ, וְאִם לֹא כִּוֵּן צָרִיךְ לַחֲזֹר

Heaven upon himself. The opposite is true of someone who transgresses this commandment. Thus the verse ends, "I am Hashem your God, Who brought you out of the land of Egypt to give you the land of Canaan, and to be your God." This, says the *Midrash*, is the whole reason why God took you out of Egypt. Only someone who accepts this mitzvah is able to accept that God took us out of Egypt. But someone who denies the commandment not to take interest denies too the fact that God took us out of Egypt.

The Chafetz Chayim explains that the commandment of usury shows that the one who fulfills this mitzvah believes that God's Divine supervision is all-encompassing. The Almighty provides for the needs of everyone fully, and will provide for him just as well even if he does not capitalize on the opportunity to make more money. This is the same lesson that God taught by taking us out of Egypt, as stated in the verse, "So that you should know that I am God on Earth" (*Shemos* 8:18).

Someone who denies this commandment reckons that his livelihood is dependent upon his ability to make money, and only though his actions can he succeed. Such a person denies God's Divine supervision in the world.

(Chafetz Chayim)

14 The Importance of Ashrei

One should recite *Tehillim* 145 (contained in *Ashrei*) with concentration three times a day. The source for this is the Talmudic saying in the name of R. Eliezer: One who recites this psalm three times a day is guaranteed to inherit the World to Come.

The most important verse to focus on is 16, "You open Your hand and satisfy the desire of every living thing." This is the central verse of the psalm, since it mentions

וּלְאָמְרוֹ פַּעַם אַחֶרֶת (שו״ע או״ח נ״א).

בְּחַיֵּי אָדָם הֵבִיא בְּשֵׁם הַלְּבוּשׁ שֶׁצָּרִיךְ לוֹמַר מִפָּסוּק פּוֹתֵחַ עַד סוֹף הַמִּזְמוֹר כְּסֵדֶר, וְאִם לֹא נִזְכַּר עַד שֶׁכְּבָר אָמַר מִזְמוֹרִים אֲחֵרִים וְאֵין לוֹ שְׁהוּת לַחֲזוֹר, מִכָּל־מָקוֹם יֹאמַר אַחַר הַתְּפִלָּה מִפָּסוּק פּוֹתֵחַ עַד סוֹף הַמִּזְמוֹר (משנה ברורה).

טו

״פּוֹתֵחַ אֶת יָדֶךָ״ צָרִיךְ לְהָבִין שֶׁבָּא בְּכָאן נִסְתָּר וְנֹכַח, וְיִתְבָּאֵר עַל־פִּי מַה שֶּׁכָּתַב בְּחוֹבַת הַלְּבָבוֹת (שער הבטחון פרק רביעי) אֲנִי תָמֵהַּ מִמִּי שֶׁנּוֹתֵן לַחֲבֵרוֹ מַה שֶּׁגָּזַר לוֹ אֶצְלוֹ הַבּוֹרֵא, וְאַחַר־כָּךְ יַזְכִּיר לוֹ טוֹבָתוֹ עָלָיו בּוֹ וִיבַקֵּשׁ לְהוֹדוֹת אוֹתוֹ עָלָיו, וְיוֹתֵר אֲנִי תָמֵהַּ מִמִּי שֶׁקִּבֵּל טַרְפּוֹ עַל־יְדֵי אַחֵר מֻכְרָח לְתִתּוֹ לוֹ וְיִכָּנַע לוֹ וִיפַיְּסֵהוּ וִישַׁבְּחֵהוּ עכ״ל. וְהִנֵּה כָּךְ גָּזְרָה חָכְמָתוֹ יִתְעַלֶּה שֶׁיִּתְפַּרְנֵס עוֹלָמוֹ עַל־יְדֵי שְׁלוּחִים זֶה נוֹתֵן וְזֶה לוֹקֵחַ, וּבָזֶה נִכְלָל כָּל מִינֵי פַּרְנָסוֹת וַהֲטָבוֹת שֶׁבָּעוֹלָם, זֶה נֶהֱנֶה מִזֶּה וְזֶה מִתְפַּרְנֵס מִזֶּה, וְלָזֶה אָנוּ אוֹמְרִים כָּל אֶחָד לְנֹכַח כָּל אֶחָד ״פּוֹתֵחַ אֶת יָדֶךָ״, פֵּרוּשׁ הַקָּדוֹשׁ־בָּרוּךְ־הוּא פּוֹתֵחַ אֶת יָדֶךָ לָתֵת לָזֶה, וּבָזֶה הַקָּדוֹשׁ־בָּרוּךְ־הוּא מַשְׂבִּיעַ לְכָל חָי.

עוֹד יֵשׁ לְפָרֵשׁ דְּהִנֵּה הַקָּדוֹשׁ־בָּרוּךְ־הוּא יָדוֹ פְּתוּחָה תָמִיד לְהַשְׁפִּיעַ לִבְרִיּוֹתָיו כָּל מִינֵי שֶׁפַע טוֹבָה וּבְרָכָה וּכְדִכְתִיב (תהלים נב, ג) ״חֶסֶד אֵל כָּל הַיּוֹם״, אֲבָל הַמְּנִיעָה הוּא מִצַּד הַמְקַבֵּל. שֶׁאִם אֵינוֹ רָאוּי לְקַבֵּל אָז אֵינוֹ יָכוֹל לְקַבֵּל הַטּוֹבָה, וְלָזֶה אָמַר ״פּוֹתֵחַ אֶת יָדֶךָ״ שֶׁהַקָּדוֹשׁ־בָּרוּךְ־הוּא פּוֹתֵחַ אֶת יָדֶךָ שֶׁתּוּכַל לְקַבֵּל שִׁפְעוֹ הַטּוֹב וְעַל־יְדֵי זֶה מַשְׂבִּיעַ לְכָל חָי.

the greatness of God Who constantly watches over all things and nourishes them.

(*Tur*)

The importance of this verse ("You open Your hand and satisfy the desire of every living thing") is indicated by the halachic ruling which says that if one did not fully meditate on this verse while reciting it, he must say it again.

One of the later authorities (Chayei Adam) rules that when forced to repeat this phrase, he must continue to the end of the psalm.

(*Mishnah Berurah*)

15 The Real Giver

Based on this verse, one recognizes that it is by Divine decree that everything is sustained and fed by a system of intermediaries — this one gives and that one takes. This includes everything — from livelihood to charitable things where one benefits from another, and one gives another a livelihood. For this reason we say directly to God, "You open Your hand" to give to this one, and in this way You "satisfy the desire of every living thing."

There is another way of understanding this verse. True, God's hand is always open to give us everything we want, as it says, "God's kindness is throughout the day" (ibid. 52:3). Yet the only reason we don't receive everything we ask for is because we are not worthy of it. Thus we ask Hashem, "You open Your hand to the degree that we are worthy to receive Your benefits, and in a like manner to all living beings."

(*Eved Ha-melech*)

טז

"וּמַשְׂבִּיעַ לְכָל חַי רָצוֹן", מַשְׂבִּיעַ לְכָל חַי מָזוֹן אֵין כְּתִיב כָּאן אֶלָּא מַשְׂבִּיעַ לְכָל חַי רָצוֹן, שֶׁהוּא נוֹתֵן לְכָל אֶחָד וְאֶחָד רְצוֹנוֹ מַה שֶּׁהוּא מְבַקֵּשׁ (מד"ר בשלח). עוֹד יְכֻוַּן "רָצוֹן" הַיְנוּ שֶׁהָאָדָם יִהְיֶה בְּרָצוֹן שֶׁיִּהְיֶה תָּמִיד שְׂבַע רָצוֹן שָׂמֵחַ בְּחֶלְקוֹ מִסְתַּפֵּק בַּמֶּה שֶּׁיֵּשׁ לוֹ כִּי הַקָּדוֹשׁ־בָּרוּךְ־הוּא יוֹדֵעַ מַה שֶּׁהוּא טוֹב לָתֵת לוֹ אוֹ לֹא לָתֵת לוֹ, וְלָכֵן אָנוּ אוֹמְרִים תֵּכֶף לָזֶה "צַדִּיק יְיָ בְּכָל דְּרָכָיו וְחָסִיד בְּכָל מַעֲשָׂיו". וּלְשׁוֹן הַזֹּהַר בְּפָרָשַׁת פִּינְחָס "וְאַתָּה נוֹתֵן לָהֶם אֶת אָכְלָם בְּעִתּוֹ", דָּא מְזוֹנֵי דַּעֲתִירֵי דְּיָהִיב מֵכְלָא סַגֵּי. "וּמַשְׂבִּיעַ לְכָל חַי רָצוֹן" דָּא מְזוֹנָא דְמִסְכְּנֵי דְּאִנּוּ שָׂבְעִין מֵרָצוֹן וְלֹא מִגּוֹ מֵכְלָא סַגֵּי. וְהָאָדָם בְּעַצְמוֹ לִפְעָמִים הוּא בִּבְחִינַת "בְּעִתּוֹ" וְלִפְעָמִים הוּא בִּבְחִינַת "רָצוֹן" וְהַכֹּל בְּצֶדֶק וּבְמִשְׁפָּט בְּחֶסֶד וּבְרַחֲמִים בְּהַשְׁגָּחָתוֹ הַפְּרָטִית יִתְעַלֶּה.

יז

כְּתִיב (תהלים נה, כג) "הַשְׁלֵךְ עַל יְיָ יְהָבְךָ וְהוּא יְכַלְכְּלֶךָ לֹא יִתֵּן לְעוֹלָם מוֹט לַצַּדִּיק": נִצְטַוִּינוּ בָּזֶה לִבְטֹחַ בַּשֵּׁם יִתְבָּרַךְ וְשֶׁיִּהְיֶה הָאָדָם מֵסִיר מֵעָלָיו כָּל דַּאֲגוֹתָיו וְלֹא יַעֲשֶׂה שׁוּם פְּעֻלּוֹת שֶׁאֵינָם מֻכְרָחוֹת אוֹ חַס וְשָׁלוֹם פְּעֻלּוֹת שֶׁלֹּא

❧ 16 ☙ Desire

The *Midrash* is curious about the last word in the verse, "You open Your hand and satisfy every living thing's desire (*ratzon*)." The verse more aptly could have said *mazon*, physical needs. The word *ratzon* refers to an individual apportionment, each one according to his personal needs in relationship to his request.

Ratzon means desire, will, willingness. A person, therefore, should always aspire to be in a state of inner joy with his lot, accepting what God has given him. He should realize that God knows just what is best for him and what can be detrimental. Thus the next verse says, "God is righteous in all His ways, and pure in all His deeds."

The *Zohar* compares the words in the previous verse to our verse. In the previous verse it says, "You give them their food in their time." That verse, says the *Zohar*, is describing the wealthy who are given an abundance of food. Our verse, however, is describing the sustenance of the needy who are satisfied with His will (*ratzon*), and not a full stomach.

Each one of us at times is treated like the one in the first verse, and at times like the one in the second verse. Everything is determined with justice, mercy, and compassion, all according to God's personal supervision.

(*Eved Ha-melech*)

❧ 17 ☙ Cast Your Burdens on Him

"Cast your burden unto God, and He shall sustain you. He shall never let the righteous be moved" (*Tehillim* 55:23). This verse teaches us the importance of trusting in God and removing all personal worries. Furthermore, under no circumstances should one transgress the Torah

עַל־פִּי הַתּוֹרָה כְּדֵי לְהַשִּׂיג פַּרְנָסָתוֹ וְהִצְטָרְכוּתוֹ, אֲבָל יַשְׁלִיךְ כָּל מַשָּׂאוֹ וְהִצְטָרְכוּתוֹ כִּבְיָכוֹל עַל הַשֵּׁם יִתְבָּרַךְ (עבד המלך)).

רַבִּי פִּינְחָס בְּשֵׁם רַבִּי זְעֵרָא אָמַר בָּשָׂר וָדָם יֵשׁ לוֹ פַּטְרוֹן אִם הִטְרִיחַ עָלָיו בְּיוֹתֵר הוּא אוֹמֵר אֶשְׁכַּח פְּלָן דְּקָא מַטְרְחָא לִי, אֲבָל הַקָּדוֹשׁ־בָּרוּךְ־הוּא אֵינוֹ כֵן אֶלָּא כָּל מַה שֶּׁאַתְּ מַטְרִיחַ עָלָיו הוּא מְקַבְּלָךְ, הֲדָא הוּא דִכְתִיב "הַשְׁלֵךְ עַל יְיָ יְהָבְךָ וְהוּא יְכַלְכְּלֶךָ" (ירושלמי ברכות ריש פרק הרואה).

יח

בִּכְלַל דְּבֵקוּת הָאֱמוּנָה שֶׁיֹּאמַר הָאָדָם עַל כָּל פְּעֻלָּה שֶׁרוֹצֶה לַעֲשׂוֹת אֲפִלּוּ לִזְמַן קָרוֹב, יֹאמַר אֶעֱשֶׂה זֹאת "אִם יִרְצֶה הַשֵּׁם", בֵּין שֶׁיִּהְיֶה דָּבָר גָּדוֹל בֵּין שֶׁיִּהְיֶה דָּבָר קָטֹן. (של"ה הקדוש).

יט

כְּתִיב (משלי יג, כה) "צַדִּיק אֹכֵל לְשֹׂבַע נַפְשׁוֹ", כִּי צַדִּיק בֶּאֱמוּנָתוֹ יִחְיֶה וּבוֹטֵחַ תָּמִיד בַּשֵּׁם יִתְבָּרַךְ וְלָכֵן לֹא יַרְעִיב אֶת נַפְשׁוֹ. "וּבֶטֶן רְשָׁעִים תֶּחְסָר", שֶׁהֵם מִתְיָרְאִים שֶׁמָּא לֹא יִהְיֶה לָהֶם מָחָר לֶאֱכֹל, כִּי כָּל מַה שֶּׁיֵּשׁ לָהֶם הוּא מְעַט אֶצְלָם וְאֵין לָהֶם בִּטָּחוֹן בַּשֵּׁם יִתְבָּרַךְ וּמְקַמְּצִים אֲכִילָתָם, וְלָכֵן בִּטְנָם חָסֵר (ביאור הגר"א).

to support himself. In times of distress, cast all your burdens on God, and remain faithful.

(Eved Ha-melech)

The *Talmud Yerushalmi* comments on this verse (ibid.). Rabbi Pinchas said in the name of Rabbi Zeira, "When someone bothers another person too much, burdening him with his problems, the other one can get fed up and say, 'This is enough.' But not so with God. No matter how much one burdens God, He is always there to listen, as the verse says, 'Cast your burden unto God, and He shall sustain you.'"

(Talmud Yerushalmi Berachos)

◆ 18 ◆   God Willing

An integral part of faith includes one's verbal statement — " I shall do this, God willing," as one is about to execute anything, whether it be big or small.

(Shelah Ha-Kadosh)

◆ 19 ◆   Reason Why We Eat

The Vilna Gaon elucidates *Mishlei* 13:25, "The righteous one eats to satisfy his soul, but the belly of the wicked shall feel want." The righteous, he says, live on faith and constantly trust in God. Therefore, they never become ravenous. The reason that "the belly of the wicked feels want" is because they are afraid that there won't be food to eat tomorrow since all they have appears to be not much to them. They lack trust in God, and are stingy when eating. Thus, their stomachs are wanting.

כ

"גֹּל אֶל יְיָ מַעֲשֶׂיךָ וְיִכֹּנוּ מַחְשְׁבֹתֶיךָ" (משלי טז, ג): נִצְטַוִּינוּ בָּזֶה לִבְטֹחַ בַּשֵּׁם יִתְבָּרַךְ וְשֶׁיִּהְיֶה הָאָדָם מֵסִיר מֵעָלָיו כָּל דַּאֲגוֹתָיו וְיַשְׁלִיךְ כָּל מַשָּׂאוֹ וְהִצְטָרְכוּתוֹ כִּבְיָכוֹל עַל הַשֵּׁם יִתְבָּרַךְ וְיֵדַע וְיַאֲמִין שֶׁהַכֹּל מֵהַשֵּׁם יִתְבָּרַךְ (עבד המלך).

כא

מַעֲלַת שְׁלֵמוּת הַבִּטָּחוֹן בּוֹ יִתְעַלֶּה מִצְוַת עֲשֵׂה שֶׁנֶּאֱמַר (דברים יח, יג) "תָּמִים תִּהְיֶה עִם יְיָ אֱלֹהֶיךָ" (חרדים פ"א ממצות עשה מן התורה התלוי בלב ואפשר לקיימן בכל יום).

כב

אָמְרוּ רַבּוֹתֵינוּ זִכְרוֹנָם לִבְרָכָה הַתַּאֲוָה מוֹצִיאָה אֶת הָאָדָם מִן הָעוֹלָם, כִּי מַטְרִידוֹ מֵעֵסֶק הַתּוֹרָה וּמִקִּיּוּם מִצְוֹתָיו וְהוּא כּוֹפֵר בְּהַשְׁגָּחָה שֶׁאֵינוֹ מַאֲמִין שֶׁהַכֹּל עַל־יְדֵי הַשְׁגָּחָתוֹ יִתְבָּרַךְ, וּכְמוֹ שֶׁאָמְרוּ רַבּוֹתֵינוּ זִכְרוֹנָם לִבְרָכָה כָּל מִי שֶׁיֵּשׁ לוֹ פַּת בְּסַלּוֹ וְאוֹמֵר מָה אֹכַל לְמָחָר הֲרֵי זֶה מִקְּטַנֵּי אֲמָנָה, אֲבָל הַבִּטָּחוֹן אֵין מַעֲלָה כְּמוֹתוֹ, וּכְמוֹ שֶׁכָּתוּב (תהלים ב, יב) "אַשְׁרֵי כָּל חוֹסֵי בוֹ", כִּי מַאֲמִין שֶׁיֵּשׁ לָעוֹלָם אֱלֹקַ שֶׁיָּכוֹל וּמַשְׁגִּיחַ (רח"ו שערי קדושה ח"ב).

כג

"זִבְחוּ זִבְחֵי צֶדֶק וּבִטְחוּ אֶל יְיָ": (תהלים ד, ו) בִּטְחוּ אֶל

➤ 20 ◆ How To Stop Worrying

"Commit your works to God, and your plans shall be established" (*Mishlei* 16:3). We are commanded to trust in God to the point that a person should remove from himself all worries. He should cast his burdens and needs upon God, realizing and believing that everything is from Him.

(*Eved Ha-melech*)

➤ 21 ◆ The Positive Commandment of Trust

The benefit of complete trust in God is expounded in the verse, "Be of pure faith with Hashem Your God" (*Devarim* 18:13). This a positive commandment which can be fulfilled in a person's heart every day.

➤ 22 ◆ The Evil of Lust

The reason the Sages said that lust is a self-destructive desire is because it interferes with Torah study and fulfilling the commandments. And worse, it leads one to deny the ever-presence of God, since one no longer believes that everything stems from His supervision. This is what the *Gemara* meant when it said that one who has bread in his basket and asks, "What will I have to eat tomorrow?" lacks faith in God.

There is nothing greater than trust in God, as the verse says, "Fortunate are those who trust in Him," (*Tehillim* 2:12) for these people are constantly witnessing His Divine supervision.

(*Shaarei Kedushah*)

➤ 23 ◆ Not Even for Money

"Offer sacrifices of righteousness, and trust in God"

הַשֵּׁם שֶׁיַּשְׁפִּיעַ לָכֶם טוֹבָה וְאַל תֶּחֶטְאוּ לוֹ בִּשְׁבִיל מָמוֹן (רש״י).

כד

הַבּוֹטֵחַ בַּשֵּׁם יִתְבָּרַךְ תִּצְמַח יְשׁוּעָתוֹ מֵעָנְיוֹ וּמִכָּל צָרוֹתָיו קַל מְהֵרָה מִפְּנֵי בִטְחוֹנוֹ, וְהַבּוֹטֵחַ בְּעָשְׁרוֹ יִפֹּל פִּתְאוֹם מִכְּבוֹדוֹ וְשַׁלְוָתוֹ בְּעֹנֶשׁ הַבִּטָּחוֹן שֶׁבָּטַח בְּמָמוֹנוֹ (רבינו יונה משלי יא כח).

(*Tehillim* 4:6). Rashi comments: Trust that God will bestow goodness upon you, and never transgress Him because of money.

24 Trust in God, Not in One's Wealth

One who trusts in God when he is needy and in distress will feel his salvation coming quickly because of his trust. One who trusts in his wealth, however, will suddenly fall from his position of honor and security as a punishment for trusting in his wealth.

(Rabbenu Yonah)

פֶּרֶק ז

בִּטָּחוֹן בְּעֵת מִלְחָמָה

א

אָמַר הַקָּדוֹשׁ־בָּרוּךְ־הוּא (דברים ז, יז־יט) "כִּי תֹאמַר בִּלְבָבְךָ רַבִּים הַגּוֹיִם הָאֵלֶּה מִמֶּנִּי אֵיכָה אוּכַל לְהוֹרִישָׁם: לֹא תִירָא מֵהֶם זָכֹר תִּזְכֹּר אֵת אֲשֶׁר עָשָׂה יְיָ אֱלֹהֶיךָ לְפַרְעֹה וּלְכָל מִצְרָיִם: הַמַּסֹּת הַגְּדֹלֹת אֲשֶׁר רָאוּ עֵינֶיךָ וְהָאֹתֹת וְהַמֹּפְתִים וְהַיָּד הַחֲזָקָה וְהַזְּרֹעַ הַנְּטוּיָה אֲשֶׁר הוֹצִאֲךָ יְיָ אֱלֹהֶיךָ כֵּן יַעֲשֶׂה יְיָ אֱלֹהֶיךָ לְכָל הָעַמִּים אֲשֶׁר אַתָּה יָרֵא מִפְּנֵיהֶם": הֻזְהַרְנוּ בָּזֶה שֶׁלֹּא לִירָא מֵהָאוֹיְבִים בְּעֵת הַמִּלְחָמָה וְלֹא נִבְרַח מִפְּנֵיהֶם, וְנִצְטַוֵּינוּ בָּזֶה לִזְכֹּר הַנִּסִּים וְהַנִּפְלָאוֹת שֶׁעָשָׂה עִמָּנוּ הַשֵּׁם יִתְבָּרַךְ כְּשֶׁהוֹצִיא אוֹתָנוּ מִמִּצְרַיִם וְנִבְטַח בּוֹ יִתְעַלֶּה שֶׁיּוֹשִׁיעֵנוּ, וְחוֹבָה עָלֵינוּ לְהִתְגַּבֵּר וְלַעֲמֹד וּלְחַזֵּק כְּנֶגֶד הָעָם הָאַחֵר (עבד המלך).

ב

"כִּי תֹאמַר בִּלְבָבְךָ רַבִּים הַגּוֹיִם הָאֵלֶּה מִמֶּנִּי אֵיכָה אוּכַל לְהוֹרִישָׁם לֹא תִירָא מֵהֶם": הֻזְהַרְנוּ בָּזֶה שֶׁאִם רָאָה הָאָדָם כִּי צָרָה קְרוֹבָה חָלִילָה, תִּהְיֶה יְשׁוּעַת הַשֵּׁם יִתְבָּרַךְ בִּלְבָבוֹ וְיִבְטַח עָלֶיהָ, כְּעִנְיָן שֶׁנֶּאֱמַר (תהלים פה, ח) "הַרְאֵנוּ יְיָ חַסְדֶּךָ וְיֶשְׁעֲךָ תִּתֶּן לָנוּ וְגוֹ׳ אַךְ קָרוֹב לִירֵאָיו יִשְׁעוֹ". וְנֶאֱמַר (ישעיה נא, יב,

7

Trust during a War

↣ 1 ↢   Fear Not!

Scripture says, "If you shall say in your heart, 'These nations are more than I; how can I dispossess them?' you shall not be afraid of them; you shall remember what Hashem your God did to Pharaoh, and to all Egypt; the great trials which your eyes saw, and the signs, and the wonders, and the mighty hand, and the stretched out arm whereby Hashem your God brought you out: so shall Hashem your God do to all the people you are afraid of" (*Devarim* 7: 17-19).

These verses teach us not to be afraid of our enemies at a time of war, and not to flee from them. Furthermore, we learn from these verses to recall the miracles and wonders which the Almighty performed for us when He took us out of Egypt. We are to trust that He will save us at such a time, and therefore we are to remain firm and resolute against our foe.

(*Eved Ha-melech*)

↣ 2 ↢   Never Lose Hope

Rabbenu Yonah explains the above verses in this way: Should a person see a disaster about to befall him, God forbid, he should be careful to place his trust in God and feel in his heart that his salvation is in God's hands. The following verses substantiate this. "Show us Your mercy, Hashem, and grant us Your salvation...Surely His salvation is near to those who fear Him" (*Tehillim* 85: 8,10),

יג) "אָנֹכִי אָנֹכִי הוּא מְנַחֶמְכֶם מִי אַתְּ וַתִּירְאִי מֵאֱנוֹשׁ יָמוּת וּמִבֶּן אָדָם חָצִיר יִנָּתֵן: וַתִּשְׁכַּח יְיָ עֹשֶׂךָ נוֹטֶה שָׁמַיִם וְיֹסֵד אָרֶץ וַתְּפַחֵד תָּמִיד כָּל הַיּוֹם מִפְּנֵי חֲמַת הַמֵּצִיק כַּאֲשֶׁר כּוֹנֵן לְהַשְׁחִית וְאַיֵּה חֲמַת הַמֵּצִיק" (רבנו יונה שער השלישי אות ל"ב)

ג

"וּבָעֵת הַהִיא בָּא חֲנָנִי הָרֹאֶה אֶל אָסָא מֶלֶךְ יְהוּדָה וַיֹּאמֶר אֵלָיו, בְּהִשָּׁעֶנְךָ עַל מֶלֶךְ אֲרָם וְלֹא נִשְׁעַנְתָּ עַל יְיָ אֱלֹהֶיךָ עַל־כֵּן נִמְלַט חֵיל מֶלֶךְ אֲרָם מִיָּדֶךָ: הֲלֹא הַכּוּשִׁים וְהַלּוּבִים הָיוּ לְחַיִל לָרֹב, לְרֶכֶב וּלְפָרָשִׁים לְהַרְבֵּה מְאֹד, וּבְהִשָּׁעֶנְךָ עַל יְיָ נְתָנָם בְּיָדֶךָ: כִּי יְיָ עֵינָיו מְשֹׁטְטוֹת בְּכָל הָאָרֶץ לְהִתְחַזֵּק עִם לְבָבָם שָׁלֵם אֵלָיו, נִסְכַּלְתָּ עַל זֹאת כִּי מֵעַתָּה יֵשׁ עִמְּךָ מִלְחָמוֹת" (דברי הימים ב, טז, ז־ט).

ד

וִישַׁעְיָהוּ הַנָּבִיא צָוַח (כב, י־יא) "וְאֶת בָּתֵּי יְרוּשָׁלַיִם סְפַרְתֶּם וַתִּתְצוּ הַבָּתִּים לְבַצֵּר הַחוֹמָה: וּמִקְוָה עֲשִׂיתֶם בֵּין הַחֹמֹתַיִם לְמֵי הַבְּרֵכָה הַיְשָׁנָה וְלֹא הִבַּטְתֶּם אֶל עֹשֶׂיהָ וְיֹצְרָהּ מֵרָחוֹק לֹא רְאִיתֶם" וַהֲלֹא כְבָר עָשָׂה חִזְקִיָּהוּ כֵן הֲלֹא כְתִיב (דברי הימים ב לב, ה־ח) "וַיִּתְחַזַּק וַיִּבֶן אֶת־כָּל־הַחוֹמָה הַפְּרוּצָה וַיַּעַל עַל הַמִּגְדָּלוֹת וְלַחוּצָה הַחוֹמָה אַחֶרֶת וַיְחַזֵּק אֶת־הַמִּלּוֹא עִיר דָּוִיד וַיַּעַשׂ שֶׁלַח לָרֹב וּמָגִנִּים: וַיִּתֵּן שָׂרֵי מִלְחָמוֹת עַל הָעָם וַיִּקְבְּצֵם אֵלָיו אֶל רְחוֹב שַׁעַר הָעִיר וַיְדַבֵּר עַל לְבָבָם לֵאמֹר: חִזְקוּ וְאִמְצוּ אַל תִּירְאוּ וְאַל תֵּחַתּוּ מִפְּנֵי מֶלֶךְ אַשּׁוּר וּמִלִּפְנֵי כָּל הֶהָמוֹן אֲשֶׁר עִמּוֹ, כִּי עִמָּנוּ רַב מֵעִמּוֹ: עִמּוֹ זְרוֹעַ בָּשָׂר, וְעִמָּנוּ יְיָ אֱלֹהֵינוּ לְעָזְרֵנוּ וּלְהִלָּחֵם מִלְחֲמֹתֵינוּ, וַיִּסָּמְכוּ הָעָם עַל דִּבְרֵי יְחִזְקִיָּהוּ מֶלֶךְ יְהוּדָה": אֶלָּא חִזְקִיָּה בְּשֵׁם אֱלֹקֵי יִשְׂרָאֵל בָּטַח, אֲבָל אַתֶּם לֹא בְטַחְתֶּם.

and "I, even I, am He that comforts you; who are you, that you should be afraid of a mortal man, and of the son of man who shall be made as grass, and has forgotten Hashem your Maker, Who stretched forth the heavens, and laid the foundations of the earth, and has feared continually every day because of the fury of the oppressor, as he makes ready to destroy? And where is the fury of the oppressor?" (*Yeshayahu* 51:12-13).

(Rabbenu Yonah)

≈ 3 ≈ Sin of King Asa

"At that time the seer Chanani came to Asa, king of Yehudah, and said to him, 'Because you have relied on the king of Aram, and not relied on Hashem your God, therefore the host of the king of Aram has escaped out of your hand. Were not the Kushites and the Luvites a huge host, with very many chariots and horsemen? Yet, because you relied on God, He delivered them into your hand. For the eyes of Hashem go to and fro throughout the whole earth, to show Himself strong on behalf of those whose heart is perfect toward Him. In this you have done foolishly. Therefore, from now on you shall have wars'."

(II *Divrei Ha-yamim* 16:7-9)

≈ 4 ≈ To Be Praised or Scolded

The *Midrash* finds a similar fortification of the city of David which took place in the lifetime of the prophet Yeshayahu and King Yechizkiyahu. Yet in the one instance the nation is scolded (*Yeshayahu* 22:10-14), and in the other they are praised (II *Divrei Ha-yamim* 32:5-8).

The *Midrash* concludes that in the latter case they trusted in God, while in the former case they didn't.

ה

מוּכָח בְּכַמָּה מְקוֹמוֹת בְּדִבְרֵי הַנְּבִיאִים שֶׁעִקַּר הַצָּלַת נֶפֶשׁ הָאָדָם בְּעֵת הַמִּלְחָמָה וְהִתְגַּבְּרוֹ עַל אוֹיְבָיו תָּלוּי בְּגֹדֶל הִתְחַזֵּק אָז כֹּחַ בִּטְחוֹנוֹ בַּשֵּׁם (מחנה ישראל פרק ל״א ע״ש).

ו

אִם הָלַךְ אָדָם בַּמִּלְחָמָה וְנִצַּח וְכָבַשׁ עֲיָרוֹת וּמְדִינוֹת, לֹא יֹאמַר וְלֹא יַחֲשֹׁב כִּי בְּכֹחִי וּגְבוּרָתִי עָשִׂיתִי זֹאת וּבְחִצִּים וּפְצָצוֹת וְתוֹתָחִים מֻבְחָרִים שֶׁיֵּשׁ לִי נִצַּחְתִּי, וּבְרֹב חָכְמָתִי וִידִיעָתִי בְּתַכְסִיסֵי מִלְחָמָה הִפַּלְתִּי אֶת הָאוֹיֵב עַד רִדְתּוֹ, אֲבָל יֵדַע נֶאֱמָנָה כִּי הַשֵּׁם פָּעַל כָּל זֹאת, וּבַכֹּל הַשֵּׁם יִתְבָּרַךְ עוֹשֶׂה שְׁלִיחוּתוֹ, וּכְתִיב (שמואל א ב, ד) ״קֶשֶׁת גִּבֹּרִים חַתִּים, וְנִכְשָׁלִים אָזְרוּ חָיִל״.

וּכְתִיב (שם ט־י) ״רַגְלֵי חֲסִידָיו יִשְׁמֹר, וּרְשָׁעִים בַּחֹשֶׁךְ יִדָּמּוּ, כִּי לֹא בְכֹחַ יִגְבַּר אִישׁ: יְיָ יֵחַתּוּ מְרִיבָיו, עָלָיו בַּשָּׁמַיִם יַרְעֵם יְיָ יָדִין אַפְסֵי אָרֶץ וְיִתֶּן עֹז לְמַלְכּוֹ וְיָרֵם קֶרֶן מְשִׁיחוֹ״.

וּכְתִיב (קהלת ט, יא) ״כִּי לֹא לַקַּלִּים הַמֵּרוֹץ, וְלֹא לַגִּבּוֹרִים הַמִּלְחָמָה״: וּכְתִיב (תהלים לג, טז, יז) ״אֵין הַמֶּלֶךְ נוֹשָׁע בְּרָב חָיִל, גִּבּוֹר לֹא יִנָּצֵל בְּרָב כֹּחַ: שֶׁקֶר הַסּוּס לִתְשׁוּעָה וּבְרֹב חֵילוֹ לֹא יְמַלֵּט״.

וּכְתִיב (משלי כא, לא) ״סוּס מוּכָן לְיוֹם מִלְחָמָה וְלַיְיָ הַתְּשׁוּעָה״:

וּכְשֶׁנִּלְחַם שָׁאוּל עִם פְּלִשְׁתִּים כְּתִיב (שמואל א יג, כב) ״וְהָיָה

≈ 5 ⊛   Salvation in Time of War

It is found in various places throughout the prophetic
writings that a man's main salvation during times of war
is dependent upon the greatness of the power of his faith
in God.

(*Machaneh Yisrael*)

≈ 6 ⊛   Don't Trust in Your Efforts

When a soldier goes to war and his army is victorious,
he should not say to himself, "We won because of our
superior strength and weaponry...because of our better
strategy, etc." Instead, he should truly recognize that the
victory came as a result of God's supervision. This is the
meaning of the verse, "The bows of the mighty men are
broken, and they that stumbled are girded with strength"
(I *Shemuel* 2:4).

The following are additional verses which reflect this
theme. "He will guard the feet of His pious ones, and
the wicked shall be silent in darkness; for it is not by strength
that man prevails. The adversaries of Hashem shall be
broken in pieces; out of heaven shall He thunder upon
them. Hashem shall judge the ends of the earth" (ibid.
2:9-10).

"The race is not to the swift, nor the battle to the
strong" (*Koheles* 9:11).

"A king is not saved by the multitude of his army. A
mighty man is not delivered by great strength. A horse
is a vain thing for safety, nor shall he be saved by his great
strength" (*Tehillim* 33:16-17).

"He delights not in the strength of the horse; He takes
no pleasure in the legs of a man" (ibid. 147:10).

"A horse is prepared for the day of battle, yet the victory
is God's" (*Mishlei* 21:31).

At the beginning of the war between Shaul and the

בְּיוֹם מִלְחֶמֶת וְלֹא נִמְצָא חֶרֶב וַחֲנִית בְּיַד כָּל הָעָם אֲשֶׁר אֶת שָׁאוּל וְאֶת יוֹנָתָן, וַתִּמָּצֵא לְשָׁאוּל וּלְיוֹנָתָן בְּנוֹ": בְּדֶרֶךְ נֵס הִמְצִיא הַקָּדוֹשׁ־בָּרוּךְ־הוּא חֶרֶב וַחֲנִית.

וּכְתִיב (שם יד, ו) "כִּי אֵין לַייָ מַעְצוֹר לְהוֹשִׁיעַ בְּרַב אוֹ בִמְעָט":

וּכְתִיב (שם יז, מז) "וְיֵדְעוּ כָּל הַקָּהָל הַזֶּה כִּי לֹא בְּחֶרֶב וּבַחֲנִית יְהוֹשִׁיעַ יְיָ, כִּי לַייָ הַמִּלְחָמָה וְנָתַן אֶתְכֶם בְּיָדֵנוּ":

וּכְתִיב (דברי הימים א ה, יח־כב) "בְּנֵי רְאוּבֵן וְגָדִי וַחֲצִי שֵׁבֶט מְנַשֶּׁה מִן בְּנֵי חַיִל, אֲנָשִׁים נֹשְׂאֵי מָגֵן וְחֶרֶב וְדֹרְכֵי קֶשֶׁת וּלְמוּדֵי מִלְחָמָה אַרְבָּעִים וְאַרְבָּעָה אֶלֶף וּשְׁבַע מֵאוֹת וְשִׁשִּׁים יֹצְאֵי צָבָא: וַיַּעֲשׂוּ מִלְחָמָה עִם הַהַגְרִיאִים וִיטוּר וְנָפִישׁ וְנוֹדָב: וַיֵּעָזְרוּ עֲלֵיהֶם וַיִּנָּתְנוּ בְיָדָם הַהַגְרִיאִים וְכֹל שֶׁעִמָּהֶם, כִּי לֵאלֹהִים זָעֲקוּ בַּמִּלְחָמָה וְנַעְתּוֹר לָהֶם כִּי בָטְחוּ בוֹ: וַיִּשְׁבּוּ מִקְנֵיהֶם גְּמַלֵּיהֶם חֲמִשִּׁים אֶלֶף וְצֹאן מָאתַיִם וַחֲמִשִּׁים אֶלֶף וַחֲמוֹרִים אַלְפָּיִם, וְנֶפֶשׁ אָדָם מֵאָה אָלֶף: כִּי חֲלָלִים רַבִּים נָפָלוּ, כִּי מֵהָאֱלֹהִים הַמִּלְחָמָה וַיֵּשְׁבוּ תַחְתֵּיהֶם עַד הַגֹּלָה":

Philistines, Scripture records, "There is neither sword nor spear to be found in the hand of any of the people that were with Shaul and Yonatan." Yet miraculously, "Shaul and Yonatan found them" (I *Shemuel* 13:22).

"There is nothing that can stop God from saving the many or the few" (ibid. 14:6).

"All this assembly shall know that Hashem saves not with the sword and spear, for the battle is God's, and He will give you (the Philistines) into our hands" (ibid. 17:47).

"The children of Reuven, Gad, and half the tribe of Menashe, men at arms, skillful bearers of shield and sword, competent drawers of the bow, and skillful in war, were forty-four thousand seven hundred and sixty who went out to war. And they went to war against the Hagarites, Yetur, Nafish, and Nodav. And they were helped against them, and the Hagarites were delivered into their hands, and all that were with them for they cried to God in the battle, and He granted their entreaty, because they put their trust in Him. And they took away their cattle; of their camels fifty thousand, and of sheep two hundred and fifty thousand, and of donkeys two thousand, and of men a hundred thousand. For there fell down many slain, because the war was from God. And they dwelt in their stead until the exile" (I *Divrei Ha-yamim* 5:18-22).

(*Eved Ha-melech*)

פֶּרֶק ח

בִּטָּחוֹן וּגְאֻלַּת יִשְׂרָאֵל

א

"לָמָּה תֹאמַר יַעֲקֹב וּתְדַבֵּר יִשְׂרָאֵל נִסְתְּרָה דַרְכִּי מֵיְיָ וּמֵאֱלֹהַי מִשְׁפָּטִי יַעֲבוֹר: הֲלוֹא יָדַעְתָּ אִם לֹא שָׁמַעְתָּ אֱלֹהֵי עוֹלָם יְיָ בּוֹרֵא קְצוֹת הָאָרֶץ לֹא יִיעַף וְלֹא יִיגָע אֵין חֵקֶר לִתְבוּנָתוֹ: נֹתֵן לַיָּעֵף כֹּחַ וּלְאֵין אוֹנִים עָצְמָה יַרְבֶּה: וְיִעֲפוּ נְעָרִים וְיִגָעוּ וּבַחוּרִים כָּשׁוֹל יִכָּשֵׁלוּ: וְקוֹיֵ יְיָ יַחֲלִיפוּ כֹחַ יַעֲלוּ אֵבֶר כַּנְּשָׁרִים יָרוּצוּ וְלֹא יִיגָעוּ יֵלְכוּ וְלֹא יִיעָפוּ" (ישעיה מ, כז־לא): הוּא מִמִּצְוַת הָאֱמוּנָה וְהַבִּטָּחוֹן אַף בִּהְיוֹתֵנוּ בַגָּלוּת וְאֻמּוֹת הָעוֹלָם שְׁלֵוִים וּשְׁקֵטִים, וְעַם יִשְׂרָאֵל מְדֻכָּא וּמְעֻנֶּה מְאֹד, בְּכָל זֹאת לֹא נְדַבֵּר וְלֹא נְהַרְהֵר כְּלָל אַחַר מִדּוֹתָיו שֶׁל הַקָּדוֹשׁ־בָּרוּךְ־הוּא, אֲבָל נֵדַע וְנַאֲמִין שֶׁכָּל הַצָּרוֹת וְהַתְּלָאוֹת שֶׁעָבְרוּ עָלֵינוּ הַכֹּל לְטוֹבָתֵנוּ הוּא, וְסוֹף סוֹף יִנְקֹם נְקָם מִכָּל קָמֵינוּ וְצָרֵינוּ, וְעַם יִשְׂרָאֵל יָקוּם לִתְחִיָּה וּגְאֻלַּת עוֹלָמִים.

ב

"וְאַתָּה יִשְׂרָאֵל עַבְדִּי וְגוֹ' אַל תִּירָא כִּי עִמְּךָ אָנִי אַל תִּשְׁתָּע כִּי אֲנִי אֱלֹהֶיךָ אִמַּצְתִּיךָ אַף עֲזַרְתִּיךָ וְגוֹ' הֵן יֵבֹשׁוּ וְיִכָּלְמוּ כֹּל הַנֶּחֱרִים בָּךְ וְגוֹ' כִּי אֲנִי יְיָ אֱלֹהֶיךָ מַחֲזִיק יְמִינֶךָ הָאֹמֵר לְךָ אַל תִּירָא אֲנִי עֲזַרְתִּיךָ: אַל תִּירְאִי תּוֹלַעַת יַעֲקֹב וְגוֹ' הִנֵּה שַׂמְתִּיךְ לְמוֹרַג חָרוּץ וְגוֹ' וְאַתָּה תָּגִיל בַּייָ בִּקְדוֹשׁ יִשְׂרָאֵל

8

Trust and Redemption

❧ 1 ☙ A Historical Perspective

The commandment to trust in God applies to the Jewish People as a whole. From a historical perspective, we often find the nations of the world living in tranquillity, while Jews living in the Diaspora suffer because they are part of the Jewish People. Part of having faith within a historical context is our ability to recognize and believe that all the tragedies which have befallen our people were for our ultimate good. And in the last days, God will avenge those who have afflicted us, and the Jewish People who fell will rise up and be worthy of an eternal redemption.

This is the meaning of *Yeshayahu* 40:27-31. "Why do you say, O Yaakov, and speak, O Yisrael. My way is hidden from Hashem, and my judgment is passed over from my God? Have you not known? Have you not heard that the everlasting God, Hashem, the Creator of the ends of the earth, faints not, nor is He weary? There is no searching for His understanding. He gives power to the faint, and to the powerless He increases strength. Even the youths shall faint and be weary, and the young men shall utterly fall, but they that long for Hashem shall renew their strength. They shall soar with wings as eagles, they shall run and not be weary, they shall walk and not faint."

(*Eved Ha-melech*)

❧ 2 ☙ Words of Encouragement

God's words of encouragement to the Jewish People are

תִּתְהַלָּל" (ישעיה מא,ח־טז). הַמִּצְוָה בָּזֶה שֶׁאַף בִּרְאוֹתֵינוּ צָרוֹת רַבּוֹת סְבָבוּנוּ וְעַם יִשְׂרָאֵל נִרְדָּף וְנִתַּן לִמְשִׁסָּה וּלְבִזָּה חָלִילָה, בְּכָל זֹאת לֹא יִפֹּל רוּחֵנוּ בְּקִרְבֵּנוּ וְלֹא יַעֲלֶה מוֹרָא עַל רֹאשֵׁנוּ וְלֹא יִכָּנֵס מֹרֶךְ בִּלְבָבֵנוּ לוֹמַר מַה יִּהְיֶה בְסוֹפֵנוּ וְאֵיךְ נֵחָלֵץ מִצָּרָתֵנוּ, אֲבָל יִהְיֶה לִבֵּנוּ מָלֵא בְרוּחַ גְּבוּרָה שֶׁל אֱמוּנָה וּבִטָּחוֹן בַּקָּדוֹשׁ־בָּרוּךְ־הוּא וְנֵדַע וְנַאֲמִין שֶׁכְּאַיִן וּכְאֶפֶס יִהְיוּ אַנְשֵׁי מִלְחַמְתֵּנוּ וְרִיבֵנוּ, וִישׁוּעַת הַשֵּׁם יִתְבָּרַךְ וּגְאֻלָּתוֹ אֶת יִשְׂרָאֵל בְּחִירוֹ סְגֻלָּתוֹ וְתִפְאַרְתּוֹ יִתְגַּלֶּה לְעֵין כֹּל, וַאֲנַחְנוּ נָגִיל וְנִשְׂמַח בַּשֵּׁם וּבִקְדוֹשׁ יִשְׂרָאֵל נִתְהַלָּל.

ג

וְדָוִד הַמֶּלֶךְ עָלָיו הַשָּׁלוֹם אָמַר (תהלים מב, ו) "מַה תִּשְׁתּוֹחֲחִי נַפְשִׁי וַתֶּהֱמִי עָלָי הוֹחִילִי לֵאלֹהִים כִּי עוֹד אוֹדֶנּוּ יְשׁוּעוֹת פָּנָיו". (שם יב) ""מַה תִּשְׁתּוֹחֲחִי נַפְשִׁי וּמַה תֶּהֱמִי עָלָי הוֹחִילִי לֵאלֹהִים כִּי עוֹד אוֹדֶנּוּ יְשׁוּעֹת פָּנַי וֵאלֹהָי": (שם מג, ה) "מַה תִּשְׁתּוֹחֲחִי נַפְשִׁי וּמַה תֶּהֱמִי עָלָי הוֹחִילִי לֵאלֹהִים כִּי עוֹד אוֹדֶנּוּ יְשׁוּעֹת פָּנַי וֵאלֹהָי": נִצְטַוִּינוּ בָּזֶה בְּהַרְבֵּה צִוּוּיִים לְהִתְחַזֵּק בְּבִטָּחוֹן גָּמוּר בְּהַקָּדוֹשׁ־בָּרוּךְ־הוּא, וּלְחַכּוֹת וּלְצַפּוֹת לִישׁוּעָתוֹ שֶׁבִּמְהֵרָה יִגְאָלֵנוּ גְּאֻלַּת עוֹלָמִים, וְיַעֲשֶׂה עִמָּנוּ נִסִּים גְּלוּיִים, וְכִימֵי צֵאתֵנוּ מֵאֶרֶץ מִצְרַיִם יַרְאֵנוּ נִפְלָאוֹת, וִיבִיאֵנוּ אֶל הַר קָדְשׁוֹ וְאֶל מִזְבְּחוֹ, וְנוֹדֶה וּנְהַלֵּל לְפָנָיו יִתְעַלֶּה עַל גֹּדֶל יְשׁוּעָתוֹ וְנִפְלְאוֹתָיו, וְשָׁם נַעֲלֶה וְנֵרָאֶה וְנִשְׁתַּחֲוֶה לְפָנֶיךָ בְּשָׁלֹשׁ פַּעֲמֵי רְגָלֵינוּ כַּכָּתוּב בְּתוֹרָתֶךָ (דברים טז, טז) "שָׁלֹשׁ פְּעָמִים בַּשָּׁנָה יֵרָאֶה כָל זְכוּרְךָ אֶת פְּנֵי יְיָ אֱלֹהֶיךָ בַּמָּקוֹם אֲשֶׁר יִבְחָר" (עבד המלך).

uttered by the prophet Yeshayahu (ibid. 41:8-16). There
He says, "Fear not, for I am with you. Be not dismayed,
for I am your God. I shall strengthen you. Indeed, I will
help you. Moreover, I shall hold you up with the right
hand of My righteousness. Behold, all of those that are
incensed against you shall be ashamed and confounded.
They shall be as nothing. And they that strive with you
shall perish...Fear not, for I shall help you...And you shall
rejoice in Hashem...."

Whenever we see that the Jewish People are being
persecuted and threatened by enemies, we should not
become discouraged or frightened, or ask "What will be
our end?" "How will we ever be saved from this?" Instead,
we should fill our hearts will the powerful spirit of faith
and trust in God, and believe that the opposing armies
are nothing in comparison to the salvation which lies in
the hands of God. We shall be saved and rejoice and sing
praises to Hashem.

(Eved Ha-melech)

☙ 3 ❧   Personal Redemption

Three times David Ha-melech repeats the same verse of
trust. "Why are you cast down, my soul? And why do
you moan within me? Hope in God, for I shall yet praise
Him for the salvations of His countenance, and because
He is my God" *(Tehillim* 42:6, 12, and 43:5). This
teaches us to remain full of trust and to always be hopeful
of His speedy salvation. God will perform actual miracles
for us as He did in Egypt, and will gather us together
and bring us to the Holy Land where we shall sing praises
to Him, and there on His holy mountain top we shall
prostrate ourselves before Him on the three Festivals.

(Eved Ha-melech)

ד

"כִּי עוֹד חָזוֹן לַמּוֹעֵד וְיָפֵחַ לַקֵּץ וְלֹא יְכַזֵּב אִם יִתְמַהְמַהּ חַכֵּה לוֹ כִּי בֹא יָבֹא לֹא יְאַחֵר" (חבקוק ב, ג). "לָכֵן חַכּוּ לִי נְאֻם ה'" (צפניה ג, ח). נִצְטַוִּינוּ בָּזֶה לְהַאֲמִין וּלְחַכּוֹת לִישׁוּעַת הַשֵּׁם יִתְבָּרֵךְ שֶׁיִּגְאַל אֶת עַמּוֹ יִשְׂרָאֵל גְּאֻלַּת עוֹלָמִים עַל יְדֵי מֶלֶךְ הַמָּשִׁיחַ, וְאַף־עַל־פִּי שֶׁיִּתְמַהְמֵהַּ נְחַכֶּה לוֹ בְּכָל יוֹם שֶׁיָּבֹא (עבד המלך).

ה

אָמַר רָבָא בְּשָׁעָה שֶׁמַּכְנִיסִין אָדָם לַדִּין אוֹמְרִים לוֹ נָשָׂאתָ וְנָתַתָּ בֶּאֱמוּנָה, קָבַעְתָּ עִתִּים לַתּוֹרָה, עָסַקְתָּ בִּפְרִיָּה וּרְבִיָּה, צִפִּיתָ לִישׁוּעָה, פִּלְפַּלְתָּ בְחָכְמָה, הֵבַנְתָּ דָבָר מִתּוֹךְ דָּבָר, וַאֲפִלּוּ הָכֵי אִי יִרְאַת הַשֵּׁם הִיא אוֹצָרוֹ אִין, אִי לֹא — לֹא (שבת דף ל"א), וּפֵרֵשׁ רַשִׁ"י צִפִּיתָ לִישׁוּעָה לְדִבְרֵי הַנְּבִיאִים.

צִפִּיתָ לִישׁוּעָה, 'צִפִּיתָ' מִלָּשׁוֹן "צוֹפֶה נְתַתִּיךָ" כְּמוֹ שֶׁצּוֹפֶה מַבִּיט וְרוֹאֶה בְּכָל עֵת וָרֶגַע שֶׁלֹּא יָבֹא אוֹיֵב וְשׂוֹנֵא, כֵּן צָרִיךְ כָּל אִישׁ יִשְׂרָאֵל לְצַפּוֹת בְּעֵינָיו וּבְמַשְׂכִּיּוֹת לְבָבוֹ בְּכָל עֵת אוּלַי בְּאוֹתוֹ רֶגַע יָבֹא מֶלֶךְ הַמָּשִׁיחַ, וּבְכָל עֵת יִהְיֶה לִבּוֹ הוֹמֶה עָלָיו וְצוֹפֶה לִישׁוּעַת הַשֵּׁם, כִּי יְשׁוּעַת הַשֵּׁם כְּהֶרֶף עַיִן, וְאוּלַי הוּא אוֹתוֹ רֶגַע שֶׁל הַיְשׁוּעָה, לָכֵן לֹא יִהְיֶה לוֹ שׁוּם מַחֲשָׁבָה שֶׁל אִחוּר זְמַן חָלִילָה, וּבְכָל רֶגַע יְצַפֶּה לִישׁוּעַת הַשֵּׁם, וְעַל־יְדֵי הַצִּפִּיָּה וְחִכּוּי לִישׁוּעַת הַשֵּׁם בְּכָל רֶגַע, בְּוַדַּאי תִּפְעַל לְמַעְלָה הַרְבֵּה, וְעַל־יְדֵי זֶה תִּזְכֶּה לְ"עַיִן לֹא רָאָתָה אֱלֹהִים זוּלָתְךָ יַעֲשֶׂה לִמְחַכֵּה לוֹ": (ישעיה סד, ג), לְכָל מִי שֶׁמְּחַכֶּה וּמְצַפֶּה בְּכָל רֶגַע (היכל הברכה בראשית דף לו).

≥ 4 ≤ Wait for Mashiach

The prophet Chavakkuk (2:3) teaches us to believe in the coming of the *Mashiach*, and to wait for the final redemption. "For there is still a vision for the appointed time," he said, "and it speaks concerning the end, and does not lie. Though it tarry, wait for it, because it will surely come, it will not delay." Tzefanyah also mentioned it, saying, "Wait for it, says Hashem" (5:8).

(Eved Ha-melech)

≥ 5 ≤ Before the High Court of Courts

Rava said, "After a person passes away, he is brought before the High Court and asked, 'Were you honest in your business dealings? Did you set aside times specifically for the study of Torah? Did you marry with the purpose of bearing children? Did you await the final redemption as announced by the prophets? Were you sharp in gaining wisdom? Did you struggle to understand the Torah better?' Yet the most important acquisition is fear of Heaven, which can sway the whole scale" (*Shabbos* 31a).

When the High Court asks a person, "Did you await the final redemption?" the Hebrew word for "await" (*tzofeh*) means "to look for." Therefore, every Jew should be on the lookout with his eyes and heart all the time to see if perhaps the *Mashiach* has arrived. He should wholeheartedly expect God's salvation, which can come in the blink of a eye.

With this sense of expectation, one will certainly behave differently, and will merit to see the greatest things which God will grant him as a reward for awaiting the *Mashiach*.

(Heichal Ha-berachah)

ו

"לָכֵן חַכּוּ לִי נְאֻם יְיָ לְיוֹם קוּמִי לְעַד כִּי מִשְׁפָּטִי לֶאֱסֹף גּוֹיִם לְקָבְצִי מַמְלָכוֹת לִשְׁפֹּךְ עֲלֵיהֶם זַעְמִי כֹּל חֲרוֹן אַפִּי כִּי בְּאֵשׁ קִנְאָתִי תֵּאָכֵל כָּל הָאָרֶץ" (צפניה ג, ח): רְאֵה זֶה פֶּלֶא, כִּי פָּסוּק זֶה הוּא הַפָּסוּק הַיְחִידִי שֶׁבְּכָל הַתּוֹרָה נְבִיאִים וּכְתוּבִים שֶׁיֵּשׁ בּוֹ כָּל כ"ב אוֹתִיּוֹת וְאוֹתִיּוֹת מַנְצְפַ"ךְ (סוֹפִיּוֹת), לְלַמְּדֵנוּ שֶׁצִּפִּיָּה וְחִכּוּי לִישׁוּעָה לְשֵׁם הִתְגַּלּוּת מַלְכוּתוֹ יִתְעַלֶּה, הוּא עִקָּר וְתַכְלִית שֶׁל הַתּוֹרָה כֻּלָּהּ (באר משה ויחי עמוד תת"כ).

ז

וְדָוִד הַמֶּלֶךְ ע"ה אוֹמֵר (תהלים נז, ב) "חָנֵּנִי אֱלֹהִים חָנֵּנִי כִּי בְךָ חָסָיָה נַפְשִׁי וּבְצֵל כְּנָפֶיךָ אֶחְסֶה עַד יַעֲבֹר הַוּוֹת": לָמָּה שְׁנֵי פְּעָמִים "חָנֵּנִי", חָנֵּנִי שֶׁלֹּא אֶחֱטָא וְאֶכָּשֵׁל בַּעֲבֵרָה, וְחָנֵּנִי שֶׁאִם חַס וְשָׁלוֹם חָטָאתִי, "בְּךָ חָסָיָה נַפְשִׁי" שֶׁאֶחֱזֹר בִּתְשׁוּבָה, "עַד יַעֲבֹר הַוּוֹת" שֶׁאַתָּה מְכַפֵּר עַל כָּל עֲוֹנוֹתָיו. דָּבָר אַחֵר "חָנֵּנִי" שֶׁלֹּא יְהוּ עֲוֹנוֹתַי מְכַלּוֹת אוֹתִי, "עַד יַעֲבֹר הַוּוֹת" הַוּוֹתָן שֶׁל גָּלֻיּוֹת, וּתְשִׁיבֵנִי לְבֵית מִקְדָּשְׁךָ וְשָׁם אֶתְפַּלֵּל וְאוֹדֶה (מדרש תהלים).

6 All the Letters Speak of the Redemption

There is only one verse in all the *Tanach* which is composed of all the twenty-two letters of the Hebrew alphabet plus the five end-letters. The verse in found in *Tzefanyah* (3:8) and speaks of the importance of waiting for the final redemption. "Therefore wait for Me, says Hashem, until the day that I rise up to the prey. For My determination is to gather the nations, that I may assemble the kingdoms, to pour upon them My indignation, all My fierce anger: for all the earth shall be devoured with the fire of My jealousy." That all the letters of the Torah express this theme teaches us that the yearning and waiting for the redemption to reveal His dominion is the essential core of the whole Torah.

(*Be'er Moshe*)

7 "Be Gracious to Me"

Tehillim 57:2 says, "Be gracious to me (*chaneni*), O God, be gracious to me (*chaneni*) for my soul has taken refuge in You; and in the shadow of Your wings I shall take refuge until calamities pass over." Why, asks the *Midrash*, does the psalmist repeat the word *chaneni*? The first *chaneni* is a prayer to protect us so that we should not come to a sin or stumble in some transgression. The second *chaneni* is a plea that if, God forbid, we commit a sin, we shall still trust in Hashem that we will repent. "Until calamities pass over" — since You forgive all of our transgressions.

Another interpretation of this verse is that the second *chaneni* is a plea that our sins should not bring about our end. "Until calamities (that have befallen us during our long dispersion) pass over" — and you bring us back to the Temple to pray and sing praises of You there.

(*Midrash Tehillim*)

ח

וְיַעֲקֹב אָבִינוּ ע״ה בְּבִרְכָתוֹ לְבָנָיו אָמַר (בראשית מט, יח) ״לִישׁוּעָתְךָ קִוִּיתִי יְיָ״: תָּמִיד אֲנִי מְצַפֶּה מְקַוֶּה וּמְיַחֵל לִישׁוּעַת הַשֵּׁם שֶׁיּוֹשִׁיעַ אוֹתִי בְּכָל מַה שֶּׁאֲנִי צָרִיךְ בְּרוּחָנִיּוֹת וּבְגַשְׁמִיּוּת, וְכֵן לִישׁוּעַת כְּלַל יִשְׂרָאֵל אֲחַכֶּה לּוֹ בְּכָל יוֹם.

ט

אָמַר לָהֶם [הַקָּדוֹשׁ־בָּרוּךְ־הוּא לְיִשְׂרָאֵל] הֱיוּ דוֹמִים לַאֲבִיכֶם שֶׁאָמַר ״לִישׁוּעָתְךָ קִוִּיתִי יְיָ״: צַפֵּה לִישׁוּעָה שֶׁהִיא קְרוֹבָה לְךָ, לְכָךְ נֶאֱמַר (ישעיה נו, א) ״כִּי קְרוֹבָה יְשׁוּעָתִי לָבוֹא״ (מד״ר משפטים סוף פרשה למ״ד).

י

שָׁלֹשׁ פְּעָמִים בְּכָל יוֹם אוֹמְרִים אֲנַחְנוּ בִּתְפִלַּת שְׁמוֹנֶה עֶשְׂרֵה ״כִּי לִישׁוּעָתְךָ קִוִּינוּ כָּל הַיּוֹם״, כִּי בְּכָל רֶגַע וָרֶגַע שֶׁל כָּל יוֹם וָיוֹם אָנוּ בּוֹטְחִים וּמְקַוִּים לִישׁוּעָתְךָ, וּתְכַוֵּן בָּזֶה לִבְטֹחַ וּלְקַוּוֹת לִישׁוּעַת כְּלַל יִשְׂרָאֵל, לְהַאֲמִין לִבְטֹחַ וּלְצַפּוֹת לִישׁוּעַת הַשֵּׁם יִתְבָּרֵךְ שֶׁיִּגְאַל אֶת עַמּוֹ יִשְׂרָאֵל גְּאֻלַּת עוֹלָמִים עַל־יְדֵי מֶלֶךְ הַמָּשִׁיחַ וְאֵלִיָּהוּ הַנָּבִיא, וְאַף־עַל־פִּי שֶׁיִּתְמַהְמֵהַּ נְחַכֶּה לּוֹ בְּכָל יוֹם שֶׁיָּבוֹא. רְאֵה לְעֵיל (אות ד, ה) בְּבֵאוּר מִצְוֹת אֵלּוּ.

יא

דַּע לְךָ אָחִי, כִּי בְּכָל רֶגַע שֶׁאַתָּה בּוֹטֵחַ, מְקַוֶּה וּמְחַכֶּה לְבִיאַת הַמָּשִׁיחַ, אַתָּה מְקַיֵּם בָּזֶה הַרְבֵּה מִצְוֹת עֲשֵׂה מִדִּבְרֵי

₴ 8 ₰ Your Salvation

"I wait for Your salvation, Hashem" (*Bereshis* 49:18). I constantly hope for and await God's salvation. He shall save me from whatever predicament I'm in, be it material or spiritual. Furthermore, I await the salvation of the Jewish People daily.

(*Eved Ha-melech*)

₴ 9 ₰ It Is Close

God said to the Jewish People, "Be like your forefathers who said, 'I wait for Your salvation, Hashem.' Await for the salvation, for it is close at hand." This is what the prophet Yeshayahu said: "My salvation is close by" (*Yeshayahu* 56:1).

(*Midrash*)

₴ 10 ₰ Three Times a Day

Three times a day we say in the Eighteen Benedictions, "Throughout the day we hope in Your salvation." During each moment of the day we trust in God and await His salvation. Furthermore, one should think of the overall salvation of the Jewish People, and believe that God shall redeem His people by sending the *Mashiach* and Eliyahu Ha-navi, and though they might tarry, one should await them every day.

(*Eved Ha-melech*)

₴ 11 ₰ A Precious Mitzvah

Consider, my friend, how many commandments by the prophets you fulfill every moment that you believe in and long for the coming of the *Mashiach*. Chavakkuk wrote

קַבָּלָה, "אִם יִתְמַהְמַהּ חַכֵּה לוֹ כִּי בֹא יָבֹא" (חבקוק ב, ג). "לָכֵן חַכּוּ לִי נְאֻם יְיָ", (צפניה ג, ח). וּמִצְוַת "הוֹחִילִי לֵאלֹהִים" שֶׁנִּכְפַּל בִּתְהִלִּים (מב־מג) שָׁלֹשׁ פְּעָמִים וְעוֹד צִוּוּיִים הַרְבֵּה שֶׁצִּוָּה לָנוּ הַשֵּׁם יִתְבָּרַךְ עַל זֶה.

(2:3), "Though it tarry, wait, for it will surely come," and Tzefanyah wrote (3:8), "Therefore, wait for Me, says Hashem." In *Tehillim* we find the same instruction repeated three times, as well as in other places where Hashem commands us about it.

(Eved Ha-melech)

פֶּרֶק ט

חוֹבַת הַתְּפִלָּה עִם הַבִּטָּחוֹן

א

״בִּטְחוּ בוֹ בְכָל עֵת, עָם שִׁפְכוּ לְפָנָיו לְבַבְכֶם״, (תהלים סב, ט): נִצְטַוִּינוּ בָּזֶה עַל הַתְּפִלָּה לְהִתְפַּלֵּל אֶל הַשֵּׁם יִתְבָּרַךְ מֵעֹמֶק הַנֶּפֶשׁ וּבִשְׁפִיכַת הַלֵּב.

הִקְדִּים לְצַוּוֹת אוֹתָנוּ עַל הַבִּטָּחוֹן וְאַחַר־כָּךְ צִוָּה אוֹתָנוּ עַל הַתְּפִלָּה, לְהוֹרוֹת לָנוּ שְׁנֵי דְבָרִים:

א. שֶׁלֹּא יְהֵא הַבִּטָּחוֹן מִפְּנֵי שֶׁכִּוֵּן בִּתְפִלָּתוֹ, וּבָזֶה הוּא בוֹטֵחַ שֶׁיִּהְיֶה נַעֲנֶה, אֶלָּא הַבִּטָּחוֹן יִהְיֶה שֶׁהַקָּדוֹשׁ־בָּרוּךְ־הוּא בְּרֹב רַחֲמָיו וַחֲסָדָיו יִתֵּן לוֹ מַתְּנַת חִנָּם, וְכִדְאִיתָא (בשלחן־ערוך או״ח צ״ח) ״אַל יַחֲשֹׁב רָאוּי הוּא שֶׁיַּעֲשֶׂה הַקָּדוֹשׁ־בָּרוּךְ־הוּא בַּקָּשָׁתִי כֵּיוָן שֶׁכִּוַּנְתִּי בִתְפִלָּתִי, אֶלָּא יַחֲשֹׁב שֶׁיַּעֲשֶׂה הַקָּדוֹשׁ־בָּרוּךְ־הוּא בְּחַסְדּוֹ״.

ב. שֶׁאֵינוֹ יוֹצֵא יְדֵי חוֹבָתוֹ בְּבִטָּחוֹן בִּלְבַד, אֶלָּא צָרִיךְ שֶׁיִּתְפַּלֵּל לִפְנֵי הַשֵּׁם יִתְבָּרַךְ עַל כָּל דָּבָר וְדָבָר, מִפְּנֵי שֶׁנִּצְטַוִּינוּ עַל הַתְּפִלָּה וּבָזֶה מַרְאִים שֶׁהוּא אֲדוֹנֵנוּ וֵאלֹקֵינוּ וּמַלְכֵּנוּ וְאֵלָיו עֵינֵינוּ תְּלוּיוֹת עַד שֶׁיְּחָנֵּנוּ וִימַלֵּא כָּל הִצְטָרְכוּתֵנוּ לְטוֹבָה (עבד המלך).

9

Prayer and Trust

❧ 1 ☙ Pour Out Your Heart

"Trust in Him at every moment, O nation, pour out your hearts before Him, God is a refuge for us" (*Tehillim* 62:9).

This verse teaches us that prayer should come from the depths of our being, and with an outpouring of the heart.

The verse commands us first to trust in God and then to pray to Him. This sequence teaches us two ideas:

1. One should not base his trust on the fact that he has prayed with devotion and therefore feels assured that he will be answered. Rather, by trusting first in God, one comes to the realization that everything he receives as a fulfillment of his prayer is an undeserved gift from the Almighty, in His abundant kindness and mercy.

The *Shulchan Aruch* relates this same idea. "One should not think, It is fitting that God should fulfill my request since I have prayed with devotion. Instead, one should think, God will do as I have asked out of His kindness.

2. One does not fulfill his religious responsibility by trust alone. One must also pray to Hashem for all of one's needs. In this way, we demonstrate that He is our Master, our God and King, and that our eyes turn to Him to have compassion on us and fulfill all our needs as He sees fit.

(*Eved Ha-melech*)

ב

אָמְרוּ חֲזַ"ל (מכילתא, פרשת בשלח): וְכֵן יִרְמְיָה אוֹמֵר (ירמיה יז, ה) "אָרוּר הַגֶּבֶר אֲשֶׁר יִבְטַח בָּאָדָם וְשָׂם בָּשָׂר זְרֹעוֹ וּמִן יְיָ יָסוּר לִבּוֹ", וּבִתְפִלָּה מָה הוּא אוֹמֵר "בָּרוּךְ הַגֶּבֶר אֲשֶׁר יִבְטַח בַּייָ וְהָיָה יְיָ מִבְטַחוֹ". מִבְטָחָם שֶׁל יִשְׂרָאֵל בְּשָׁעָה שֶׁמִּתְפַּלְלִים לוֹ, וְהוּא קָרוֹב לָהֶם, שֶׁנֶּאֱמַר (תהלים קמה, יח) "קָרוֹב יְיָ לְכָל קֹרְאָיו לְכֹל אֲשֶׁר יִקְרָאֻהוּ בֶאֱמֶת".

ג

מֹשֶׁה רַבֵּנוּ ע"ה הִתְאַמֵּץ בִּתְפִלָּה וְאָמַר (דברים ג, כג) "וָאֶתְחַנַּן אֶל יְיָ בָּעֵת הַהִיא לֵאמֹר": נִצְטַוִּינוּ בָּזֶה לְהִתְחַזֵּק בִּתְפִלָּה אֲפִלּוּ אִם עוֹמֵד חָלִילָה בְּסַכָּנָה וּכְבָר נִגְזְרָה גְּזֵרָה (עבד המלך).

ד

רַבִּי יוֹחָנָן וְרַבִּי אֶלְעָזָר דְּאָמְרֵי תַּרְוַיְהוּ אֲפִלּוּ חֶרֶב חַדָּה מֻנַּחַת עַל צַוָּארוֹ שֶׁל אָדָם אַל יִמְנַע עַצְמוֹ מִן הָרַחֲמִים, שֶׁנֶּאֱמַר (איוב יג, טו) "הֵן יִקְטְלֵנִי לוֹ אֲיַחֵל" (ברכות דף יוד).

אָמַר רַב חָנָן אֲפִלּוּ בַּעַל הַחֲלוֹמוֹת אוֹמֵר לוֹ לְאָדָם לְמָחָר הוּא מֵת, אַל יִמְנַע עַצְמוֹ מִן הָרַחֲמִים, שֶׁנֶּאֱמַר (קהלת ה, ו) "כִּי בְרֹב חֲלֹמוֹת וַהֲבָלִים וּדְבָרִים הַרְבֵּה כִּי אֶת הָאֱלֹהִים יְרָא" (ברכות שם).

≫ 2 ≪   Trust Without Prayer Is Insufficient

Our Sages compared the following two verses. The first verse, from *Yirmeyahu* 17:5, concerns trust: "Cursed is the man who trusts in man, and considers flesh his might and turns his heart from God." Another verse, on prayer, says, "Blessed is the man who trusts in God, for then God will be his security" (ibid. 17:7). The children of Yisrael have security when they pray to Him and He is close to them, as it says, "God is close to all who call upon Him — to all who call upon Him sincerely" (*Tehillim* 145:18).

(Mechilta, Parashas Beshallach)

≫ 3 ≪   Prayer Is Essential at a Time of Crisis

Moshe Rabbenu persisted in prayer as the verse *Devarim* 3:23 says, "I cried out to God at that time" [pleading to change the decree against me and allow me to enter *Eretz Yisrael*.] We learn from this verse to strengthen ourselves in prayer even when already in grave danger, and even after a decree has been issued.

(Eved Ha-melech)

≫ 4 ≪   Don't Give Up on Prayer

R. Yochanan and R. Elazar said: "Even if a sword's blade is resting on a person's throat, he should never give up praying for Divine mercy, as it says, 'Though He slay me, I would pray to Him'" (*Iyov* 13:15).

R. Chanan said: "Even if an interpreter of dreams tells someone that he will die tomorrow, he should not give up praying for Divine mercy, as it says, "In the multitude of dreams, vanities, and words, you should only fear God" (*Koheles* 5:6).

(Berachos 10a,b)*

רַב חָנָן בָּא לְהוֹסִיף אֲפִלּוּ שְׁנֵיהֶם יַחַד, שֶׁבַּעַל הַחֲלוֹמוֹת אָמַר לוֹ כֵּן וְגַם חֶרֶב חַדָּה מֻנַּחַת עַל צַוָּארוֹ אַחֲרֵי הַחֲלוֹם חָלִילָה, אֲפִלּוּ הָכֵי אַל יִמְנַע עַצְמוֹ מִן הָרַחֲמִים (עיון יעקב).

ה

כְּתִיב בְּפָרָשַׁת וַיְחִי (בראשית מח, כב) "וַאֲנִי נָתַתִּי לְךָ שְׁכֶם אַחַד עַל אַחֶיךָ אֲשֶׁר לָקַחְתִּי מִיַּד הָאֱמֹרִי בְּחַרְבִּי וּבְקַשְׁתִּי", וְכִי בְּחַרְבּוֹ וּבְקַשְׁתּוֹ לָקַח, וַהֲלֹא כְּבָר נֶאֱמַר (תהלים מד, ז) "כִּי לֹא בְקַשְׁתִּי אֶבְטָח וְחַרְבִּי לֹא תוֹשִׁיעֵנִי", אֶלָּא "חַרְבִּי" זוֹ תְפִלָּה, "קַשְׁתִּי" זוֹ בַּקָּשָׁה (ב"ב קכג).

"זוֹ תְפִלָּה" שֶׁהִתְפַּלֵּל יַעֲקֹב עַל בָּנָיו, וְשֶׁזָּכָה לִקְנוֹת הַבְּכוֹרָה מֵעֵשָׂו בִּתְפִלָּתוֹ (רשב"ם).

לְאַחַר שֶׁהָרְגוּ שִׁמְעוֹן וְלֵוִי אַנְשֵׁי שְׁכֶם נִתְקַבְּצוּ כָּל סְבִיבוֹתֵיהֶם לְהָרְגָם, בָּא יַעֲקֹב וְחָגַר חַרְבּוֹ וְקַשְׁתּוֹ וְעִמּוֹ כָּל הַשְּׁבָטִים, וְנַפְתָּלִי נָשָׂא אֶת יְהוּדָה עַל כְּתֵפָיו, וְהָרְגוּ כָּל אוֹיְבֵיהֶם. שָׁאַל יַעֲקֹב לְבָנָיו לְאַחַר מִלְחַמְתָּם מִי עָשָׂה יוֹתֵר בַּמִּלְחָמָה אֲנִי אוֹ אַתֶּם, אָמְרוּ לוֹ, אָבִינוּ, אַתָּה זָקֵן וּמָה יָּכֹלְתָּ לַעֲשׂוֹת, אָמַר לָהֶם עַתָּה תִּרְאוּ לְמִי הַכֹּחַ. הוֹלִיכָם יַעֲקֹב אֵצֶל שַׁעַר אֶחָד וְנָעַל אוֹתָהּ, דָּחֲפוּ כֻּלָּם לְנֶגְדּוֹ וְלֹא יָכְלוּ לְפָתְחָהּ, מִיָּד הוֹדוּ לוֹ שֶׁעַל־יָדוֹ נֶעֶשְׂתָה הַמִּלְחָמָה, וְהַיְנוּ הָא דִכְתִיב

R. Chanan's statement can be understood to include the former, i.e., after the dream interpreter tells his fortune, a pointed sword is thrust against his neck. Still, he should not give up praying for Divine mercy.

(*Iyun Yaakov*)

❧ 5 ❧   Yaakov and the Birthright

"Then Yisrael said to Yosef, '...and as for me I have given you Shechem, one portion more than your brothers, which I took from the hand of the Emorites, with my sword and with my bow'" (*Bereshis* 48:22).

Did Yaakov conquer with a sword and bow? No, as *Tehillim* 44:7 says, "For I trust not in my bow, nor can my sword save me." Rather, understand that "my sword" refers to prayer, and "my bow" refers to supplications.

(*Bava Basra* 123a)

The Rashbam explains that Yaakov prayed on behalf of his children, as a result of which they were victorious in battle. He also prayed to successfully obtain the birthright from Esav.

Yaakov's prayers were more powerful than physical weapons, as depicted in the following story. After Shimon and Levi killed the inhabitants of Shechem (*Bereshis* 34), the neighboring townsmen gathered together to take revenge. Yaakov girded himself with a sword and bow, and his sons followed suit. Naftali lifted Yehudah onto his shoulders and together they slaughtered their enemies. After the battle, Yaakov asked his sons, "Which one of us did more in this battle?" "Father," they answered, "you are old. What were you able to do?" "Now," Yaakov retorted, "let's see who has all the strength." Yaakov walked over to a gate and locked it. Try as they might, they could not break it open. Then they realized that their victory

"בְּחַרְבִּי וּבְקַשְׁתִּי" (תוספות על התורה, הדר זקנים בשם מדרש).

ו

אָמַר דָּוִד הַמֶּלֶךְ ע"ה (תהלים נו, ד־ה) "יוֹם אִירָא אֲנִי אֵלֶיךָ אֶבְטָח: בֵּאלֹהִים אֲהַלֵּל דְּבָרוֹ בֵּאלֹהִים בָּטַחְתִּי לֹא אִירָא מַה יַּעֲשֶׂה בָשָׂר לִי"; (שם יא־יב) "בֵּאלֹהִים אֲהַלֵּל דָּבָר בַּיְיָ אֲהַלֵּל דָּבָר: בֵּאלֹהִים בָּטַחְתִּי לֹא אִירָא מַה יַּעֲשֶׂה אָדָם לִי". כְּשֶׁבָּא דָּוִד אֵצֶל אָכִישׁ וּבִקְּשׁוּ לְהָרְגוֹ, בְּאוֹתָהּ שָׁעָה נִתְיָרֵא דָּוִד הִתְחִיל אוֹמֵר "יוֹם אִירָא אֲנִי אֵלֶיךָ אֶבְטָח", הִתְחִיל דָּוִד מְבַקֵּשׁ וּמִתְפַּלֵּל וְאוֹמֵר "רִבּוֹנוֹ שֶׁל עוֹלָם עֲנֵנִי בַּשָּׁעָה הַזּוֹ" (מדרש תהלים מזמור ל"ד).

ז

הַמִּתְפַּלֵּל לֹא יַחֲשֹׁב רָאוּי הוּא שֶׁיַּעֲשֶׂה הַקָּדוֹשׁ־בָּרוּךְ־הוּא בַּקָּשָׁתוֹ מִפְּנֵי שֶׁכִּוֵּן בִּתְפִלָּתוֹ, אֶלָּא יַחֲשֹׁב שֶׁיַּעֲשֶׂה הַקָּדוֹשׁ־בָּרוּךְ־הוּא בְּחַסְדּוֹ (שו"ע סימן צ"ח). וְיִתְחַזֵּק מְאֹד בְּבִטָּחוֹן גָּמוּר וְשָׁלֵם בַּשֵּׁם יִתְבָּרַךְ שֶׁיַּעֲשֶׂה עִמּוֹ חֶסֶד חִנָּם מַמָּשׁ וְיַעֲזוֹר לוֹ וְיוֹשִׁיעַ אוֹתוֹ בְּכָל עִנְיָנָיו. כַּמְבֹאָר לְעֵיל.

ח

מִפְּנֵי צִוּוּי הַשֵּׁם יִתְבָּרַךְ שֶׁאָמַר לָנוּ (תהלים נה, כג) "הַשְׁלֵךְ עַל יְיָ יְהָבְךָ" נַעֲשֶׂה וְנֹאמַר כֵּן, וּלְמָשָׁל כְּשֶׁאָדָם צָרִיךְ אֵיזֶה סְכוּם כֶּסֶף לִקְנוֹת לִבְנוֹ אוֹ לְעַצְמוֹ מְעִיל וְכַדּוֹמֶה, יֹאמַר בְּפֶה מָלֵא וּבְבִטָּחוֹן גָּמוּר בְּזֶה הַלָּשׁוֹן: הֲרֵינִי מוּכָן וּמְזֻמָּן לְקַיֵּם מִצְוַת הַבִּטָּחוֹן וּמִצְוַת "הַשְׁלֵךְ" לְשֵׁם יִחוּד וְכוּ' וִיהִי נֹעַם וְגוֹ' רִבּוֹנוֹ שֶׁל עוֹלָם הֲרֵינִי מַשְׁלִיךְ עָלֶיךָ הַדָּבָר הַזֶּה שֶׁאַתָּה תִּתֵּן לִי הַכֶּסֶף הַדָּרוּשׁ לְצֹרֶךְ הַמְּעִיל, וְתַעַזְרֵנִי לִקְנוֹת הַמְּעִיל, וּמֵסִיר אֲנִי מֵעָלַי הַמַּשָּׂא הַזֶּה וְאֵין לִי בָזֶה שׁוּם מַשָּׂא וּדְאָגָה כְּלָל כִּי בְךָ בָטָחְתִּי.

came from the prayers of their father, as it says, "with my sword and with my bow."

(*Tosefos, Hadar Zekenim*)

❧ 6 ❧   King David's Trust

The Midrash says that when David Ha-melech came to Achish and the latter wanted to kill him, David became afraid and said, "On the day I was afraid, I trusted in You" (*Tehillim* 56:4). He realized that he was in a predicament of the gravest sort, and turned to God. David sought Divine mercy and prayed, "Master of the Universe! Answer me at this time."

(*Midrash*)

❧ 7 ❧   God Heard My Prayers

The *Shulchan Aruch* says: When a person is praying he should not think that God should fulfill his request because he prayed well. Instead, he should think that God will do it out of His kindness.

(*Shulchan Aruch* 98)

❧ 8 ❧   Cast Everything upon God

The verse, "Cast upon God your burden" (*Tehillim* 55:23), is really a call from the Almighty. For instance, when a person needs money to buy a suit for his son or for himself, he should say the following prayer full of confidence:

"I am ready to fulfill the mitzvah of trusting in God, and of casting my load on Him. Master of the Universe, I am casting upon You my burden which is that I need money to purchase a suit. Help me to buy it, and as of now I remove this burden from myself. I no longer have any worry over it since I trust in You."

וְכֵן אָנוּ אוֹמְרִים בִּסְלִיחוֹת דְּעֶרֶב רֹאשׁ הַשָּׁנָה (סליחה כ״ט) עָלֶיךָ נַשְׁלִיךְ כָּל יְהָבִים. (סליחה ל״ד) הִשְׁלַכְנוּ עָלֶיךָ יְהָבֵנוּ, נָא אַתָּה תְּכַלְכְּלֵנוּ הֵעָתֵר לָנוּ בִּתְפִלָּתֵנוּ חֶפְצֵנוּ וּבַקָּשָׁתֵנוּ מַלֵּא בְּרַחֲמִים בְּךָ תָּלִינוּ בִטְחוֹנֵנוּ רַחֲמֶיךָ מְהֵרָה יְקַדְּמוּנוּ.

ט

אִם יִרְצֶה לַעֲשׂוֹת אֵיזֶה מַשָּׂא וּמַתָּן כְּגוֹן לִקְנוֹת אוֹ לִמְכֹּר אֵיזֶה דָבָר אִם לַעֲשׂוֹת אֵיזֶה עֵסֶק יֹאמַר אֶעֱשֶׂה זֹאת ״אִם יִרְצֶה הַשֵּׁם״ וַאֲנִי בוֹטֵחַ בּוֹ שֶׁיַּצְלִיחַ אוֹתִי, וְיִתְפַּלֵּל תְּפִלָּה קְצָרָה זֶה נֻסָּחָהּ: רִבּוֹנוֹ שֶׁל עוֹלָם: בְּדִבְרֵי קָדְשְׁךָ כָּתוּב לֵאמֹר ״וְהַבּוֹטֵחַ בַּיְיָ חֶסֶד יְסוֹבְבֶנּוּ״ וּכְתִיב: ״וְאַתָּה מְחַיֶּה אֶת כֻּלָּם״ חֲלֹק לִי מֵחַסְדְּךָ לִתֵּן בְּרָכָה בְּמַעֲשֵׂה יָדַי בִּפְעֻלָּה זוֹ (של״ה שער האותיות אמת ואמונה).

אִם הִרְוִיחַ יֹאמַר הִרְוַחְתִּי בְּעֶזְרַת הַשֵּׁם יִתְבָּרֵךְ, אִם הִשִּׂיג לִקְנוֹת מַה שֶּׁרָצָה וְכַדּוֹמֶה לָזֶה, יֹאמַר הִצְלַחְתִּי בְּעֶזְרַת הַשֵּׁם יִתְבָּרֵךְ. אִם חָלִילָה הָיָה לוֹ אֵיזֶה רָעָה אוֹ הֶפְסֵד יֹאמַר זֶה לִי לְעֹנֶשׁ עַל אֵיזֶה חֵטְא, וִיפַשְׁפֵּשׁ בְּמַעֲשָׂיו מִדָּה כְּנֶגֶד מִדָּה אוּלַי חָטָא בְּאֵיזֶה מָמוֹן וְיַחֲזִירוֹ לִבְעָלָיו, אוֹ אוּלַי מָנַע אֵיזֶה צְדָקָה וְיִתֵּן וְיַחֲזֹר וְיִתֵּן וְיִהְיֶה מוֹדֶה וְעוֹזֵב (שם).

י

אָמַר רַבָּה בַּר חִנָּנָא סָבָא מִשְּׁמֵהּ דְּרַב, הַמִּתְפַּלֵּל כְּשֶׁהוּא כּוֹרֵעַ כּוֹרֵעַ בְּבָרוּךְ, וּכְשֶׁהוּא זוֹקֵף זוֹקֵף בַּשֵּׁם, אָמַר שְׁמוּאֵל

We find this same type of reliance on God in the *Selichos* prayers we recite before Rosh Hashanah. "We have cast our burdens on You. Hearken to our prayers and support us. Fulfill our desires and requests with compassion. We trust in You, so let Your mercy come speedily."

(Eved Ha-melech)

‎9‎ ‎ Whether Successful or Not

When one wants to enter into a business venture, be it to buy or sell something, etc., let him say, "I shall do this, God willing, and I feel confident that He will help me." One should then say this short prayer: Master of the Universe, in Your holy Scriptures it says, "One who trusts in God shall be surrounded by kindness" (*Tehillim* 32:10), and, "You sustain everything" (*Nechemyah* 9:6). Give me, out of Your kindness, a blessing in this venture I'm about to do." When one is successful in a venture, he should say, "By the help of God I was successful." The same applies when one purchases something that he very much wanted. If, God forbid, he did not succeed or he suffered a loss, he should say, "This has befallen me as a punishment for some sin I have committed." He should examine his ways for some plausible correlation — perhaps he erred in some financial transaction and he can still return the money, or perhaps he neglected to do some charitable act. Thereby, he can admit his fault and correct it.

(Shelah Ha-kadosh)

‎10‎ ‎ Bowing before God

R. Rabba bar Chinena Sava said in the name of Rav, "When one prays the first of the Eighteen Benedictions, he should bow at the word '*baruch*,' and straighten up when he says

מַאי טַעֲמָא דְרַב דִּכְתִיב (תהלים קמו, ח) "יְיָ זוֹקֵף כְּפוּפִים" (ברכות י"ב). כְּשֶׁהוּא כּוֹרֵעַ בְּאָבוֹת וּבְהוֹדָאָה כּוֹרֵעַ בְּבָרוּךְ וְזוֹקֵף אֶת עַצְמוֹ כְּשֶׁהוּא מַזְכִּיר אֶת הַשֵּׁם, עַל שֵׁם ה׳ זוֹקֵף כְּפוּפִים (רש"י). בִּכְרִיעָה זוֹ מַרְאֶה הַפַּחַד וְהַיִּרְאָה שֶׁיֵּשׁ לוֹ לִפְנֵי הַשֵּׁם, וְזוֹקֵף בַּשֵּׁם וּבָזֶה מַרְאֶה הַבִּטָּחוֹן שֶׁיֵּשׁ לוֹ בַּה׳ שֶׁבּוֹטֵחַ בּוֹ בְּכָל עִנְיָנָיו שֶׁיֵּיטִיב לוֹ (תלמידי רבינו יונה).

פֵּרוּשׁ כְּשֶׁהוּא כָּפוּף, אִם הַשֵּׁם יִתְבָּרַךְ לֹא יִתֵּן לוֹ הַכֹּחַ לָקוּם מִכְּרִיעָתוֹ לֹא הָיָה יָכוֹל לִזְקֹף בְּשׁוּם אֹפֶן, וְרַק הַשֵּׁם זוֹקֵף כְּפוּפִים שֶׁעוֹזֵר לוֹ לִזְקֹף מִכְּרִיעָתוֹ, כֵּן אֲנִי בוֹטֵחַ עַל הַשֵּׁם יִתְבָּרַךְ שֶׁיַּעַזְרֵנִי בְּכָל עִנְיָנַי לְטוֹבָה וְלִבְרָכָה, וְהָבֵן וּזְכֹר זֶה תָּמִיד.

the name of God." Shemuel asked, "What is Rav's reason?" It is based on the verse, "God raises up those who are bowed down" (*Tehillim* 146:8).

(*Berachos* 12b)

This bowing is an expression of the fear and awe that one feels before God. Rising at the name of God shows one's confidence that God will treat him well.

(The students of Rabbenu Yonah)

The *Eved Ha-melech* explains that were it not for God giving man the power to rise up when he is bowing, he would be completely unable to rise. It is only "God who raises up those who are bowed down." Thus, I should realize that God shall help me in all matters for the good. Understand and recall this often.

(*Eved Ha-melech*)

פֶּרֶק י

תְּפִלָּה בְּכַוָּנָה

א

כְּבָר נִתְבָּאֵר בְּעֶזְרַת הַשֵּׁם יִתְבָּרַךְ לְעֵיל שֶׁמִּצְוַת הַבִּטָּחוֹן וּמִצְוַת הַתְּפִלָּה שְׁתֵּי מִצְווֹת הֵם.

הַמִּתְפַּלֵּל צָרִיךְ שֶׁיְּכַוֵּן בְּלִבּוֹ פֵּרוּשׁ הַמִּלּוֹת שֶׁמּוֹצִיא בִשְׂפָתָיו, וְיַחֲשֹׁב כְּאִלּוּ שְׁכִינָה כְּנֶגְדּוֹ, וְיָסִיר כָּל הַמַּחֲשָׁבוֹת הַטּוֹרְדוֹת אוֹתוֹ עַד שֶׁתִּשָּׁאֵר מַחֲשַׁבְתּוֹ וְכַוָּנָתוֹ זַכָּה בִּתְפִלָּתוֹ, וְיַחֲשֹׁב כְּאִלּוּ הָיָה מְדַבֵּר לִפְנֵי מֶלֶךְ בָּשָׂר וָדָם הָיָה מְסַדֵּר דְּבָרָיו וּמְכַוֵּן בָּהֶם יָפֶה לְבַל יִכָּשֵׁל, קַל וָחֹמֶר לִפְנֵי מֶלֶךְ מַלְכֵי הַמְּלָכִים הַקָּדוֹשׁ־בָּרוּךְ־הוּא שֶׁהוּא חוֹקֵר כָּל הַמַּחֲשָׁבוֹת (שו״ע או״ח סימן צ״ח).

יִתְפַּלֵּל דֶּרֶךְ תַּחֲנוּנִים כְּרָשׁ הַמְבַקֵּשׁ בַּפֶּתַח וּבְנַחַת, וְשֶׁלֹּא תֵרָאֶה עָלָיו כְּמַשָּׂא וּמְבַקֵּשׁ לִפָּטֵר מִמֶּנָּה (שם). כְּרָשׁ הַמְבַקֵּשׁ בַּפֶּתַח וּבְנַחַת. הוּא עִנְיָן אֶחָד, רוֹצֶה לוֹמַר שֶׁיֹּאמַר בְּנַחַת בִּלְשׁוֹן תַּחֲנוּנִים כְּמִי שֶׁמְּבַקֵּשׁ רַחֲמִים עַל עַצְמוֹ, וְיָשִׂים אֶל לִבּוֹ שֶׁאֵין בְּיַד שׁוּם נִבְרָא, מַלְאָךְ אוֹ מַזָּל אוֹ כוֹכָב לְמַלְּאוֹת שְׁאֵלָתוֹ, כִּי אִם בִּרְצוֹנוֹ יִתְבָּרַךְ (משנה ברורה).

שֶׁלֹּא תֵרָאֶה עָלָיו כְּמַשָּׂא. פֵּרוּשׁ אַף־עַל־פִּי שֶׁאוֹמְרָהּ בִּלְשׁוֹן תַּחֲנוּנִים, אִם אֵינוֹ מְחַשֵּׁב כְּמוֹ שֶׁצָּרִיךְ דָּבָר וּבָא

10

Praying with Intent

֍ 1 ֎ Praying Gently

We explained earlier that faith and prayer are two separate commandments.

When praying, one needs to focus his thoughts on the meaning of the words. One should also see himself as if in the presence of God. He should remove all trivial distractions until he can concentrate and direct his thoughts and attention completely to the prayer. He should pretend he is going to speak before a human king and plan his words and think about what he wants to say so as not to err. All the more so when standing before the King of Kings, the Holy One, who examines not only our words but our every thought.

(*Shulchan Aruch Orach Chayim*, section 98)

Pray in a beseeching manner, as a pauper pleading at the door. Pray gently, let it not appear as if your prayer were a burden you wish to dispose of.

(Ibid.)

The *Mishnah Berurah* explains that "as a pauper pleading at the door" and the word "gently " imply one concept. Namely, one should speak gently in a pleading manner, as one who is asking for mercy, and should fully realize that no being, or angel, or *mazal* can grant his request unless it is God's will.

"Let it not appear as a burden" — this means to say that even if you pray in a pleading manner, but you do

לְבַקֵּשׁ מִלִּפְנֵי הַמֶּלֶךְ, אֶלָּא שֶׁמִּתְפַּלֵּל מִפְּנֵי הַחִיּוּב לָצֵאת יְדֵי חוֹבָתוֹ, אֵינוֹ נָכוֹן, וּמְאֹד צָרִיךְ לִזָּהֵר בָּזֶה (שם).

אַל יַחְשֹׁב רָאוּי הוּא שֶׁיַּעֲשֶׂה הַקָּדוֹשׁ־בָּרוּךְ־הוּא בַּקָּשָׁתוֹ כֵּיוָן שֶׁכִּוַּנְתִּי בִתְפִלָּתִי, כִּי אַדְּרַבָּה זֶה מַזְכִּיר עֲוֹנוֹתָיו שֶׁל אָדָם, שֶׁעַל־יְדֵי כָךְ מְפַשְׁפְּשִׁין בְּמַעֲשָׂיו לוֹמַר בָּטוּחַ הוּא בִּזְכֻיּוֹתָיו, אֶלָּא יַחֲשֹׁב שֶׁיַּעֲשֶׂה הַקָּדוֹשׁ־בָּרוּךְ־הוּא בְּחַסְדּוֹ וְיֹאמַר בְּלִבּוֹ מִי אֲנִי דַל וְנִבְזֶה בָּא לְבַקֵּשׁ מֵאֵת מֶלֶךְ מַלְכֵי הַמְּלָכִים הַקָּדוֹשׁ־בָּרוּךְ־הוּא אִם לֹא מֵרֹב חֲסָדָיו שֶׁהוּא מִתְנַהֵג בָּהֶם עִם בְּרִיּוֹתָיו (או״ח צ״ח).

ב

אָמְרוּ רַבּוֹתֵינוּ ז״ל אֵיזֶהוּ עֲבוֹדָה שֶׁבְּלֵב הֱוֵי אוֹמֵר זוֹ תְפִלָּה, בֵּאוּר דִּבְרֵיהֶם כִּי לִהְיוֹת כַּוָּנַת הַלֵּב שֶׁלֹּא יִפְנֶה אָנֶה וָאָנָה לְשׁוּם מַחֲשָׁבָה רַק לְכַוָּנַת הַתְּפִלָּה וְלִהְיוֹת שָׂמֵחַ וְדָבֵק בּוֹ יִתְבָּרַךְ הִיא עֲבוֹדָה גְדוֹלָה בְּלִי עֵרֶךְ שֶׁלֹּא יָתוּר הַלֵּב, וְהַרְבֵּה צָרִיךְ הָאָדָם לְהַרְגִּיל אֶת עַצְמוֹ שֶׁיִּהְיֶה לִבּוֹ דָבֵק תָּמִיד וְלֹא יִהְיֶה בְלִבּוֹ פְּנִיַּת מַחֲשֶׁבֶת חוּץ, עַל־כֵּן אָמְרוּ הַתְּפִלָּה הִיא עֲבוֹדָה גְדוֹלָה בְּלֵב שֶׁיִּהְיֶה מַחֲשַׁבְתּוֹ תָּמִיד דְּבוּקָה וּבְכַוָּנַת הַמִּלּוֹת (של״ה).

not consider yourself as genuinely needing to speak before
the King, then your prayer is lacking.

Don't think, It is only fair that God perform my bid-
ding since I concentrated properly during my prayer. This
attitude has the opposite affect, for it results in Hashem
recollecting one's sins. When one is so certain of his merits,
his deeds are then carefully examined.

One's attitude should be, Let God respond out of His
kindness. For who am I, poor and inconsequential, to
come before the Almighty God and make demands? It
is only as a result of God's lovingkindness that one has
the chance to approach Him in prayer.

(*Shulchan Aruch Orach Chayim*, section 98)

❧ 2 ☙   With All Your Heart

Our Rabbis expounded: "What is the service of the heart?
This refers to prayer." The meaning of this statement is
that it requires a lot of effort to focus and direct our mind
so that we may properly concentrate during prayer. The
mind wanders easily, and we can lose our concentration.
It takes a great deal of practice to train our heart to truly
cleave to God continuously so that we will not have
extraneous thoughts during prayer. This is why the Rabbis
said that prayer is a great *avodah* within one's heart, for
during prayer one's thoughts ought to remain exclusively
directed toward the meaning of the words he is uttering.

(Shelah)

פֶּרֶק יא

תְּפִלָּה בְּדִמְעָה

א

כְּתִיב (תהלים לט, יג) "שִׁמְעָה תְפִלָּתִי יְיָ וְשַׁוְעָתִי הַאֲזִינָה אֶל דִּמְעָתִי אַל תֶּחֱרַשׁ כִּי גֵר אָנֹכִי עִמָּךְ תּוֹשָׁב כְּכָל אֲבוֹתָי": אָמַר רַבִּי אֶלְעָזָר מִיּוֹם שֶׁחָרַב בֵּית הַמִּקְדָּשׁ נִנְעֲלוּ שַׁעֲרֵי תְפִלָּה שֶׁנֶּאֱמַר (איכה ג, ח) "גַּם כִּי אֶזְעַק וַאֲשַׁוֵּעַ שָׂתַם תְּפִלָּתִי", וְאַף־עַל־פִּי שֶׁשַּׁעֲרֵי תְפִלָּה נִנְעֲלוּ, שַׁעֲרֵי דִמְעָה לֹא נִנְעֲלוּ שֶׁנֶּאֱמַר "שִׁמְעָה תְפִלָּתִי יְיָ וְשַׁוְעָתִי הַאֲזִינָה אֶל דִּמְעָתִי אַל תֶּחֱרַשׁ" (ברכות ל"ב). מִדְּלֹא כְּתִיב אֶת דִּמְעָתִי תִרְאֶה שְׁמַע מִנָּהּ נִרְאֵת הִיא לְפָנָיו וְאֵין צָרִיךְ לְהִתְפַּלֵּל אֶלָּא שֶׁתִּתְקַבֵּל לְפָנָיו (רש"י ותוספות).

בִּסְלִיחוֹת אָנוּ אוֹמְרִים תָּמַכְתִּי יְתֵדוֹתַי בִּשְׁלֹשׁ עֶשְׂרֵה תֵבוֹת וּבְשַׁעֲרֵי דְמָעוֹת כִּי לֹא נִשְׁלָבוֹת וְכוּ' יְהִי רָצוֹן מִלְּפָנֶיךָ שׁוֹמֵעַ קוֹל בְּכִיּוֹת שֶׁתָּשִׂים דִּמְעוֹתֵינוּ בְּנֹאדְךָ לִהְיוֹת וְתַצִּילֵנוּ מִכָּל גְּזֵרוֹת אַכְזָרִיּוֹת כִּי לְךָ לְבַד עֵינֵינוּ תְלוּיוֹת.

ב

הָיוּ אוֹמְרִים: כָּךְ הָיוּ הַתְּנָאִים הַגְּדוֹלָה לַגָּדוֹל וְהַקְּטַנָּה לַקָּטָן (פֵּרוּשׁ הָעוֹלָם הָיוּ אוֹמְרִים שֶׁלֵּאָה תִנָּשֵׂא לְעֵשָׂו וְרָחֵל לְיַעֲקֹב) וְהָיְתָה (לֵאָה) בּוֹכָה וְאוֹמֶרֶת יְהִי רָצוֹן שֶׁלֹּא אֶפֹּל בְּגוֹרָלוֹ שֶׁל רָשָׁע, אָמַר רַב הוּנָא קָשָׁה הִיא הַתְּפִלָּה שֶׁבִּטְּלָה אֶת הַגְּזֵרָה וְלֹא עוֹד אֶלָּא שֶׁקָּדְמָה לַאֲחוֹתָהּ (מד"ר ויצא).

11

Prayer with Tears

✌ 1 ✌   The Gates of Tears

It says in *Tehillim* 39:13, "Hear my prayer, God, hearken to my call, be not deaf to my tears. For I am a stranger with you, a resident, like all my ancestors." R. Eliezer said, "From the day the holy Temple was destroyed, the gates of prayer were locked, as it says in *Eichah*, 'Though I would cry out and call for help, He shuts out my prayer.'"

Even though the gates of prayer were locked, the gates of tears were not, as it says, "Hear my prayer, God, hearken to my call, be not deaf to my tears" (*Berachos* 32). Rashi and Tosefos agree that it doesn't say "*see* my tears." We can dervive from this that our tears are heeded by God and we only need to pray they are accepted as our prayers.

In the *Selichos* prayers we say, "I have placed my reliance on the Thirteen Attributes and on the gates of tears, for they are never closed. May it be Your will, You Who hears the sound of weeping, that You place our tears in Your flask permanently, and that You rescue us from all cruel decrees, for on You alone are our eyes fixed.

✌ 2 ✌   Changing the Plan

People of the town would say, "The elder daughter (Leah) will marry the elder son (Esav) and the younger daughter (Rachel) will marry the younger son (Yaakov)." And Leah would cry and pray, "May it be Your will that I not fall into the lot of the wicked one." Rav Huna said, "Prayer is strong, it annulled the decree and beyond that — Leah was the first to marry Yaakov."

(Medrash)

ג

הַמִּתְפַּלֵּל בְּדֶמַע תְּפִלָּתוֹ נִשְׁמַעַת שֶׁהֲרֵי שַׁעֲרֵי דִמְעָה לֹא נִנְעֲלוּ, וְהַדִּמְעָה הִיא כְּנֶגֶד נִסּוּךְ הַמַּיִם שֶׁהָיוּ מְנַסְּכִים עַל־גַּבֵּי הַמִּזְבֵּחַ כִּדְאָמַר (בראשית רבה פרשה ע״ח) רַבִּי בוּן אוֹמֵר כָּל אוֹתָן שָׁנִים שֶׁהָיָה יַעֲקֹב בְּבֵית אֵל לֹא נִמְנַע מִלְּנַסֵּךְ, אָמַר רַבִּי יוֹחָנָן מִי שֶׁיּוֹדֵעַ לַחֲשֹׁב כַּמָּה נִסּוּכִין נִסֵּךְ יַעֲקֹב אָבִינוּ עָלָיו הַשָּׁלוֹם יוֹדֵעַ לַחֲשֹׁב מֵי טְבֶרְיָא. כְּלוֹמַר כְּשֵׁם שֶׁאֵין חֶשְׁבּוֹן לְמֵי טְבֶרְיָא כָּךְ אֵין לַנִּסּוּךְ הַהוּא חֶשְׁבּוֹן, וְאֵלּוּ הֵן הַדְּמָעוֹת שֶׁהָיָה בוֹכֶה בְּשָׁעָה שֶׁהָיָה מִתְפַּלֵּל בְּבֵית אֵל, וְאֵין מִי שֶׁיּוֹדֵעַ מִסְפַּר הַדְּמָעוֹת חוּץ מִן הַקָּדוֹשׁ־בָּרוּךְ־הוּא שֶׁהָיָה סוֹפְרָן שֶׁנֶּאֱמַר (תהלים נו, ט) ״נֹדִי סָפַרְתָּה אָתָּה שִׂימָה דִמְעָתִי בְנֹאדֶךָ״ וְאָמְרוּ ז״ל מְלַמֵּד שֶׁהַקָּדוֹשׁ־בָּרוּךְ־הוּא סוֹפְרָן וּמַנִּיחָן בְּבֵית גְּנָזָיו וְגַם הוּא יוֹדֵעַ לִסְפֹּר מֵי טְבֶרְיָה (רבינו יונה שערי העבודה אות י״א).

ד

הַתְּפִלָּה צְרִיכָה דִמְעָה, לָכֵן אָמַר דָּוִד ״שִׁמְעָה תְפִלָּתִי יְיָ וְשַׁוְעָתִי הַאֲזִינָה אֶל דִּמְעָתִי אַל תֶּחֱרַשׁ״. וְכֵן מָצִינוּ בִתְפִלָּתוֹ שֶׁל חִזְקִיָּה כְּתִיב (מלכים ב כ, ג) ״וַיֵּבְךְּ חִזְקִיָּהוּ בְּכִי גָדוֹל״, וְאָמַר לוֹ הַקָּדוֹשׁ־בָּרוּךְ־הוּא שָׁמַעְתִּי אֶת תְּפִלָּתֶךָ רָאִיתִי אֶת דִּמְעָתֶךָ, וְכֵן בְּחַנָּה כְּתִיב (שמואל א א, י) ״וַתִּתְפַּלֵּל עַל יְיָ וּבָכֹה תִבְכֶּה״ (רבינו בחיי כד הקמח אות תפלה).

≈ 3 ≈   Incalculable Value

When one prays with tears, his prayers are heard, for the
Gates of Tears were never sealed. For tears are in the place
of the "water libations" that were offered in the holy Temple
on the altar.

(Bereshis Rabbah)

R.Von said, "All the years that Yaakov was in Beis El
he continuously offered libations."

R. Yochanan said (hyperbolically), "He who knows how
to calculate the many libations Yaakov offered, could also
determine the quantity of water in Tiveryah — that is to
say that just as there can be *no* determination of the Tiveryah
waters, similarly Yaakov's libations can not be measured.
For these are the tears that Yaakov shed while he prayed
in Beis El. And no one knows how to calculate those tears
except God, Who counts them as it says in *Tehillim*, "Place
my tears into Your flask. Are they not in Your record?"
and the Rabbis teach us that God would count them and
place them in His treasure room for God, too, knows how
to count the waters of Tiveryah.

(Shaarei Ha-avodah 11)

≈ 4 ≈   Prayer Needs Tears

Prayer needs tears, and that is why David Ha-melech said,
"Hear my prayer, God, hearken to my call, be not deaf
to my tears" (*Tehillim* 39:13).

Similarly we find in reference to King Yechizkiyahu's
prayer, "and Yechizkiyahu cried." And God said to him,
"I have heard your prayer, I have seen your tears" (II
Melachim 20:3,5).

Similarly about Channah the text states, "And she prayed
to God and cried and cried" (I *Shemuel* 1:10).

(Rabbenu Bachya, Kad Ha-kemach)

פֶּרֶק יב

תְּפִלַּת הַבָּרִיא

א

כְּתִיב (איוב לו, יט) "הֲיַעֲרֹךְ שׁוּעֲךָ לֹא בְצָר וְכֹל מַאֲמַצֵּי כֹחַ": נִצְטַוִּינוּ בָזֶה לְהַקְדִּים תְּפִלָּה לְצָרָה וַאֲפִלּוּ בְעֵת שֶׁהוּא בְּהַרְוָחָה וּבְרִיאוּת יִתְפַּלֵּל שֶׁלֹּא יֶחֱלֶה וְלֹא יָבוֹא לְשׁוּם צָרָה חַס וְשָׁלוֹם (עבד המלך).

"הֲיַעֲרֹךְ שׁוּעֲךָ לֹא בְצָר", אָמַר רַבִּי אֶלְעָזָר לְעוֹלָם יַקְדִּים אָדָם תְּפִלָּה לְצָרָה שֶׁאִלְמָלֵא הִקְדִּים אַבְרָהָם תְּפִלָּה לְצָרָה בֵּין בֵּית אֵל וּבֵין הָעַי לֹא נִשְׁתַּיֵּר מִשּׂוֹנְאֵיהֶם שֶׁל יִשְׂרָאֵל שָׂרִיד וּפָלִיט (סנהדרין מ"ד).

"הֲיַעֲרֹךְ שׁוּעֲךָ לֹא בְצָר", כָּךְ הָיוּ אוֹמְרִים חֲבֵרָיו לְאִיּוֹב כְּלוּם הִקְדַּמְתָּ שַׁוְעֲךָ לֹא בְצָר עַד לֹא בָאָה הַצָּרָה, אִם הָיִיתָ עוֹשֶׂה כֵן הָיוּ הַכֹּל מְאַמְּצִים אֶת כֹּחֲךָ (רש"י).

ב

אָמַר רַב יִצְחָק בְּרֵהּ דְּרַב יְהוּדָה לְעוֹלָם יְבַקֵּשׁ אָדָם רַחֲמִים שֶׁלֹּא יֶחֱלֶה, שֶׁאִם יֶחֱלֶה אוֹמְרִים לוֹ הָבֵא זְכוּת וְהִפָּטֵר (שבת ל"ב).

ג

תַּנְיָא רַבִּי אֶלְעָזָר הַקַּפָּר אוֹמֵר, לְעוֹלָם יְבַקֵּשׁ אָדָם רַחֲמִים עַל מִדָּה זוֹ, שֶׁאִם הוּא לֹא בָא, בָּא בְנוֹ; וְאִם בְּנוֹ לֹא

12

Prayers for a Healthy Person

❧ 1 ❦   Life Insurance Policy

"Had you arranged your prayer before the onset of difficulty, then all would fortify your strength" (*Iyov* 36:19).

We are commanded here to pray before tragedy strikes. Even when well-off and healthy, pray that you not become ill, nor come to any tragedy.

(*Eved Ha-melech*)

On the verse: "Had you arranged your prayers before the onset of difficulty," R. Elazar said, "Always pray before tragedy strikes. Were it not that Avraham had offered a prayer between Beis El and Ai, then nothing would remain of the Jewish People today."

(*Sanhedrin* 44)

❧ 2 ❦   Pray Not To Be Ill

R. Yitzchak bar R. Yehudah said: "A person should always pray that he not become sick, and should he become ill, the Heavenly court tells him, 'Show us what merits you have in order to free you from your illness.'"

(*Shabbos* 32a)

❧ 3 ❦   Concerning Poverty

The *Gemara* teaches: R. Elazar Ha-kapar said, "A person should always pray for mercy concerning poverty; even if he doesn't become impoverished, his son might, and

בָּא; בֶּן בְּנוֹ בָּא (שבת קנ״א). עַל מִדָּה זוֹ שֶׁלֹּא יָבֹא לִידֵי עֲנִיּוּת דְּדָבָר הַמְזֻמָּן הוּא לָבֹא אוֹ עָלָיו אוֹ עַל בְּנוֹ אוֹ עַל בֶּן בְּנוֹ (רש״י).

ד

בֵּין עַל רוּחָנִיּוּת וּבֵין עַל גַּשְׁמִיּוּת יִהְיֶה הָאָדָם מַקְדִּים תְּפִלָּה וְיִשְׁפֹּךְ תַּחֲנוּנִים לִפְנֵי הַשֵּׁם יִתְבָּרַךְ שֶׁיַּצִּילֵהוּ מִכָּל חֵטְא וְעָוֹן וּמִכָּל מַחֲלָה וּמִכָּל דָּבָר רַע וּלְקַיֵּם כָּל הַמִּצְוֹת בִּשְׁלֵמוּתָם וְלִזְכּוֹת לְכָל מִדּוֹת טוֹבוֹת וּלְהִתְנַהֵג בָּהֶם בְּתַכְלִית קְדֻשָּׁתָם וְטָהֳרָתָם.

ה

טוֹב לְהִתְפַּלֵּל לִפְרָקִים: רִבּוֹנוֹ שֶׁל עוֹלָם עֲזֹר נָא לִי וּלְכָל בְּרִיאֵי עַמְּךָ בֵּית יִשְׂרָאֵל שֶׁלֹּא נֶחֱלֶה וְלֹא נֶחֱטָא וְלֹא נִפֹּל לְמִטָּה חַס וְשָׁלוֹם וְלֹא נִצְטָרֵךְ לָרוֹפְאִים וְלֹא לְהִתְעַסֵּק בִּרְפוּאוֹת, וּלְכָל חוֹלֵי עַמְּךָ בֵּית יִשְׂרָאֵל שְׁלַח לָהֶם רְפוּאָה שְׁלֵמָה בִּמְהֵרָה, וְהַצִּילֵנוּ מִכָּל מִינֵי צַעַר וְצָרָה דַּחַק וְעֹנִי וּמִכָּל דָּבָר רָע כְּדֵי שֶׁנּוּכַל לַעֲבֹד עֲבוֹדָתְךָ וְלִלְמֹד תּוֹרָתְךָ לִשְׁמָהּ בְּלִי שׁוּם מוֹנֵעַ (עבד המלך איוב).

if not his son, then his grandson." Rashi adds that one should pray to ward off poverty because it is likely to befall either him, his sons, or his grandsons.

(*Shabbos* 151)

⊰ 4 ⊱   Before the Need Arises

Whether they be spiritual or material matters, a person should pray for them before the actual need arises. One should wholeheartedly pray to the Almighty to save him from sin, illness, or any negative thing, as well as praying to fulfill all the commandments in their entirety, to have a flawless character, and to use one's proper character traits to the utmost realm of holiness.

(*Eved Ha-melech*)

⊰ 5 ⊱   An Appropriate Prayer

There is a prayer which is appropriate to say from time to time:

"Master of the universe! Please help me and all my fellow Jews not to become ill, nor to sin or become bedridden and in need of doctors and medications. Send swiftly to all ailing Jews a complete healing. Save us from all types of suffering and trouble, poverty and bad tidings, so that we may serve You as we should, and study Your Torah for its own sake, without any hindrances."

(*Eved Ha-melech*)

פֶּרֶק יג

תְּפִלַּת הַחוֹלֶה

א

כְּשֶׁמֻּכְרָח הָאָדָם לֵילֵךְ לְרוֹפֵא יִתְפַּלֵּל בְּזֶה הַלָּשׁוֹן: רִבּוֹנוֹ שֶׁל עוֹלָם אֲנִי מַאֲמִין בֶּאֱמוּנָה שְׁלֵמָה שֶׁרְפוּאָתִי בְּיָדְךָ הִיא וְאֵין בְּיַד הָרוֹפֵא לְרַפְּאוֹת שׁוּם דָּבָר. וִיהִי רָצוֹן מִלְּפָנֶיךָ יְיָ אֱלֹהַי וֵאלֹהֵי אֲבוֹתַי שֶׁתְּרַפְּאֵנִי רְפוּאָה שְׁלֵמָה, וְעָזְרֵנִי שֶׁרוֹפֵא זֶה שֶׁבְּדַעְתִּי לֵילֵךְ אֶצְלוֹ יִהְיֶה כְּבָר שָׁלִיחַ נֶאֱמָן מֵאִתְּךָ לְהַמְצִיא לִי רְפוּאָתִי הַנְּכוֹנָה שֶׁאֶתְרַפֵּא עַל יָדָהּ כְּדֵי שֶׁאֶהְיֶה בָּרִיא וְחָזָק לַעֲבֹד עֲבוֹדָתְךָ וְלִלְמֹד תּוֹרָתְךָ לִשְׁמָהּ.

ב

גַּרְסִינָן בְּמַסֶּכֶת עֲבוֹדָה זָרָה (דף נ״ה) בְּשָׁעָה שֶׁמְּשַׁגְּרִין יִסּוּרִין עַל הָאָדָם מַשְׁבִּיעִין אוֹתָן שֶׁלֹּא יֵצְאוּ מִמֶּנּוּ אֶלָּא בְּיוֹם פְּלוֹנִי וּבְשָׁעָה פְּלוֹנִית וְעַל־יְדֵי פְלוֹנִי וְעַל־יְדֵי סַם פְּלוֹנִי, וּכְמוֹ שֶׁכָּתַב מַהַרְשָׁ״א וְזֶה לְשׁוֹנוֹ, דְּוַדַּאי תְּשׁוּבָה תְּפִלָּה וּצְדָקָה מַעֲבִירִין אֶת רֹעַ הַגְּזֵרָה שֶׁתִּתְבַּטֵּל אַף בְּתוֹךְ הַזְּמַן וּלְבַטֵּל הַשְּׁבוּעָה.

וְכֵן עַל־יְדֵי מִצְוַת הַבִּטָּחוֹן יָכוֹל לְבַטֵּל תֵּכֶף אֶת הַגְּזֵרָה וְאֶת הַזְּמַן וְהַשְּׁבוּעָה.

וּרְאֵה לְעֵיל מִצְוַת הַבִּטָּחוֹן, אִם הָיָה לוֹ בִטָּחוֹן עַל חוֹלֶה שֶׁיִּתְרַפֵּא.

13

Prayers when Ill

❧ 1 ☙ A Prayer before Going to a Doctor

Before one has to go to a doctor, it is customary to recite this prayer:

"Master of the universe! I believe with perfect faith that my cure is in Your hands, and that the doctor cannot cure me in any way whatsoever. May it be Your will, Hashem my God and the God of my forefathers, to heal me completely. Help me to feel secure that the doctor I am about to see will be a true messenger from You to prescribe for me the proper medicines and treatments so that I can get well, and thereby be healthy and strong to serve You, and study Your Torah for its own sake."

(*Eved Ha-melech*)

❧ 2 ☙ When an Individual Is Suffering

The *Gemara* teaches that at the time that a person is sent suffering, the Heavenly court makes the affliction swear not to leave the person until such-and-such a day, at such-and-such an hour, with only so-and-so's help, and with just that medication.

The Maharsha comments that any harsh decree may be reversed by repentance, prayer, and charity, even during that time period, thus annulling the above-mentioned vow.

Similarly, through the commandment of trust one may instantaneously annul the decree, the time period, and the vow.

(*Avodah Zarah* 55a)

ג

הַנִּכְנָס לְהָקִיז דָּם אוֹ לֶאֱכֹל אוֹ לִשְׁתּוֹת אֵיזֶה דָּבָר לִרְפוּאָה אוֹמֵר: יְהִי רָצוֹן מִלְּפָנֶיךָ יְיָ אֱלֹהַי וֵאלֹהֵי אֲבוֹתַי שֶׁיְּהֵא עֵסֶק זֶה לִי לִרְפוּאָה כִּי רוֹפֵא חִנָּם אָתָּה (שו״ע סימן ר״ל ומ״ב). וְלֹא יַחֲשֹׁב שֶׁיִּהְיֶה אֵיזֶה דָּבָר לוֹ רְפוּאָה אֶלָּא עַל־יְדֵי הַבּוֹרֵא יִתְבָּרַךְ שְׁמוֹ, וְעַל־יְדֵי תְּפִלָּה זוֹ יָשִׂים בִּטְחוֹנוֹ בְּהַקָּדוֹשׁ־בָּרוּךְ־הוּא וִיבַקֵּשׁ מִמֶּנּוּ שֶׁתִּהְיֶה לוֹ לִרְפוּאָה (מ״ב שם).

ד

תְּפִלָּה מִבַּעַל ״פֶּלֶא יוֹעֵץ״ בְּסִפְרוֹ ״בֵּית תְּפִלָּה״: רִבּוֹנוֹ שֶׁל עוֹלָם יוֹדֵעַ אֲנִי כִּי בְמִשְׁפָּט יִסַּרְתַּנִי לְטוֹב לִי לְכַפָּרַת עֲוֹנוֹתַי וְאֵינֶנִּי בוֹעֵט בַּיִּסּוּרִים חַס וְשָׁלוֹם וַאֲנִי שָׂמֵחַ בָּהֶם וּמְקַבְּלָם בְּאַהֲבָה, אַךְ צַר לִי מְאֹד עַל קִצּוּרִי בַּעֲבוֹדָתְךָ מִפְּנֵי הַיִּסּוּרִים, וְלָכֵן אֲנִי מוּכָן לְהִתְעַסֵּק בִּרְפוּאוֹת כְּדֵי שֶׁיִּהְיֶה גוּפִי בָּרִיא וְחָזָק לַעֲבוֹדָתְךָ כִּי אַתָּה נָתַתָּ רְשׁוּת לְרוֹפֵא לְרַפְּאוֹת כַּאֲשֶׁר הוֹדַעְתַּנִי עַל־יְדֵי עֲבָדֶיךָ חַכְמֵי יִשְׂרָאֵל, וְאוּלָם עֵינַי תְּלוּיוֹת אֵלֶיךָ כִּי יָדַעְתִּי שֶׁרְפוּאָתִי אֵינָהּ אֶלָּא בְיָדְךָ, עַל־כֵּן אֲנִי מַפִּיל תְּחִנָּתִי לְפָנֶיךָ שֶׁתַּזְמִין לִי וּתְרַפְּאֵנִי רְפוּאָה שְׁלֵמָה בְּתוֹךְ כָּל חוֹלֵי עַמְּךָ יִשְׂרָאֵל רְפוּאַת הַנֶּפֶשׁ וּרְפוּאַת הַגּוּף כִּי אֵל מֶלֶךְ רוֹפֵא נֶאֱמָן וְרַחֲמָן אָתָּה.

עֲנֵנִי יְיָ עֲנֵנִי וְאַל תָּבֹא בְמִשְׁפָּט אֶת עַבְדְּךָ וְלֹא תִכְלָא רַחֲמֶיךָ מִמֶּנִּי, חַסְדְּךָ וַאֲמִתְּךָ תָּמִיד יִצְּרוּנִי, אֵל נָא רְפָא נָא לִי בְּתוֹךְ שְׁאָר חוֹלֵי יִשְׂרָאֵל עֲשֵׂה לְמַעַן שְׁמֶךָ עֲשֵׂה לְמַעַן

☙ 3 ❧ Before Taking Medicine

The *Shulchan Aruch* says that whenever one eats or drinks anything for medical reasons, he should recite this prayer:

"May it be Your will, Hashem my God and the God of my forefathers, that this treatment should heal me, for You are a Doctor Who heals without charge."

Don't think that any medication one takes is independent of God. By saying this prayer one builds his trust in God, and requests from Him that the medicine will help him to get well.

(Mishnah Berurah)

☙ 4 ❧ A Prayer

The author of *Pele Yo'etz* composed this prayer:

"Master of the universe! I understand that You have afflicted me justly for my own good as an atonement for my sins. I do not revolt against these afflictions, God forbid. I rejoice in them and accept them lovingly. But I am very upset that I am curtailed from doing Your calling because of these sufferings.

"Therefore, I am ready to take medications so that my body will be healthy and strong to serve You, since You permit a doctor to heal, as You have made known via the Sages of Yisrael. Still, my eyes turn to You since I know that my cure is solely in Your hands.

"Thus, I utter this supplication before You that You will take care and heal me completely together with all other sick Jews, a spiritual as well as a physical healing, for You are God, our King, the faithful and merciful Healer.

"Answer me, O God, answer me. Don't be harsh with Your servant, and don't let Your mercy dissipate. May Your kindness and truth constantly protect me. Hashem, please heal me as You do other sick Jews. Do it for Your

יְמִינֶךָ עֲשֵׂה לְמַעַן קְדֻשָּׁתֶךָ עֲשֵׂה לְמַעַן תּוֹרָתֶךָ לְמַעַן יֵחָלְצוּן יְדִידֶיךָ הוֹשִׁיעָה יְמִינְךָ וַעֲנֵנִי. יִהְיוּ לְרָצוֹן אִמְרֵי פִי וְהֶגְיוֹן לִבִּי לְפָנֶיךָ יְיָ צוּרִי וְגוֹאֲלִי.

Name's sake, for Your right hand's sake, for the sake of
Your holiness, for the sake of Your Torah, for the sake
of saving Your beloved ones. May Your right hand save
and respond to me. 'May the expressions of my mouth
and the thoughts of my heart find favor before You, O
God, my Rock and my Redeemer.'"

פֶּרֶק יד

תְּפִלָּה עַל אֱמוּנָה וּבִטָּחוֹן

א

אָבִינוּ שֶׁבַּשָּׁמַיִם יָדַעְנוּ כִּי עִקָּר וִיסוֹד הַיַּהֲדוּת הוּא הָאֱמוּנָה הַשְּׁלֵמָה. וְכָל קִיּוּם עַמְּךָ יִשְׂרָאֵל טוֹבָתוֹ וְהַצְלָחָתוֹ הוּא בֶּאֱמוּנָתוֹ הַטְּהוֹרָה וּבִשְׁלֵמוּת הַבִּטָּחוֹן בְּשִׁמְךָ הַגָּדוֹל וְהַקָּדוֹשׁ, חוֹבָתֵנוּ הִיא לִזְכֹּר תָּמִיד כִּי אַתָּה הוּא יוֹצֵר הַכֹּל, אֲדוֹן הַכֹּל, וּמוֹשֵׁל בַּכֹּל, וְהַשְׁגָּחָתְךָ עַל הַכֹּל, לֹא יִפָּלֵא מִמְּךָ דָּבָר, וְאֵין נִסְתָּר מִנֶּגֶד עֵינֶיךָ. אַתָּה הַמְגַדֵּל וּמְחַזֵּק לַכֹּל. וְכָל טוֹבָתֵנוּ וְהַצְלָחָתֵנוּ וְחַיֵּינוּ מְסוּרִים בְּיָדְךָ, אַתָּה לְבַדְּךָ עוֹזֵר וְסוֹמֵךְ, גּוֹאֵל וּמוֹשִׁיעַ, מֵטִיב וּמְרַחֵם, זָן וּמְפַרְנֵס וּמְכַלְכֵּל לַכֹּל. וּבְיָדְךָ לְמַלֵּא כָּל מַחֲסוֹרֵנוּ וְכָל מִשְׁאֲלוֹתֵינוּ. יָדַעְנוּ כִּי מִבַּלְעֲדֵי מַאֲמָרֶיךָ וּגְזֵרוֹתֶיךָ אֵין שׁוּם כֹּחַ בָּעוֹלָם, וְאֵין יְכֹלֶת בְּשׁוּם נִבְרָא לְהוֹעִיל וּלְהַזִּיק לְהָרַע וּלְהֵטִיב. אַתָּה הוּא עִלַּת כָּל הָעִלּוֹת וְסִבַּת כָּל הַסִּבּוֹת, אֲדוֹן כָּל הַמַּעֲשִׂים.

לָכֵן בָּאנוּ לִשְׁפֹּךְ שִׂיחַ וּתְחִנָּה לְפָנֶיךָ כְּדַלִּים וּכְרָשִׁים דָּפַקְנוּ דְּלָתֶיךָ, נָא אָב הָרַחֲמָן רַחֵם עָלֵינוּ וְתִטַּע בְּלִבֵּנוּ וּבְלֵב כָּל עַמְּךָ בֵּית־יִשְׂרָאֵל אַהֲבָתְךָ וְיִרְאָתְךָ, וְזַכֵּנוּ לְהַאֲמִין בֶּאֱמוּנָה שְׁלֵמָה בְּךָ, בְּאַחְדוּתְךָ וּבְמַלְכוּתְךָ, וּבְהַשְׁגָּחָתְךָ הַפְּרָטִית, וּבְתוֹרָתְךָ הַקְּדוֹשָׁה וְהַתְּמִימָה, זַכֵּנוּ לִהְיוֹת בִּטְחוֹנֵנוּ בְּךָ תָּמִיד עַל

14

Prayer for Faith and Trust

❧ 1 ❧

"O Father in heaven, we realize that the foundation of Judaism is complete faith in You. The whole existence of Your people, their well-being and success, is dependent on their pure faith, and in a complete trust in Your great and holy name. Therefore, we are obligated to constantly recall that You are the Creator of everything, the Master of all, under Whose dominion is everything, and that Your supervision is total. Nothing is too remote from You, nor is anything hidden from Your sight. You make great and strengthen whatever You desire. All our bounty, success, and life force is in Your hands. You alone can help and be relied upon, redeem and save, do good and act mercifully, feed and provide for everyone. It is in Your ability to provide whatever we lack, and to answer our personal requests. We know that without Your Divine utterances and decrees there is no force in the world, nor does any living being have the power to benefit or harm us. You are the Cause of all causes and the Reason for every occurrence, the Master of all happenings.

"Therefore, we approach You in order to pour forth our prayers and supplications before You, as beggars we knock at Your door. Please, O Father of mercy, be merciful with us, and let Your love and fear be implanted in our hearts and in the hearts of all Jews. Let us be worthy to believe in You with complete faith, and in Your Oneness and Kingship, in Your Divine Providence, and in Your holy Torah. May we be worthy to always place our trust

כָּל דָּבָר, בְּטָחוֹן גָּמוּר וְשָׁלֵם, חָזָק מְאֹד, בְּלִי שׁוּם רִפְיוֹן וַחֲלִישָׁה, וְלֹא נִדְאַג וְלֹא נִפְחַד כְּלָל. שָׁמְרֵנוּ וְהַצִּילֵנוּ מִקִּנְאָה, שִׂנְאָה וְתַחֲרוּת, וְנִהְיֶה שְׂמֵחִים מְאֹד בְּטוֹבַת וְהַצְלָחַת אִישׁ יִשְׂרָאֵל.

אָבִינוּ שֶׁבַּשָּׁמַיִם, הִשְׁלַכְנוּ עָלֶיךָ יְהָבֵנוּ נָא אַתָּה תְּכַלְכְּלֵנוּ, חֶפְצֵנוּ וּבַקָּשָׁתֵנוּ מַלֵּא בְּרַחֲמִים. בְּךָ תָּלִינוּ בִטְחוֹנֵנוּ, רַחֲמֶיךָ מְהֵרָה יְקַדְּמוּנוּ. וּבִזְכוּת אֲבוֹתֵינוּ הַקְּדוֹשִׁים, אַבְרָהָם יִצְחָק וְיַעֲקֹב, וּבִזְכוּת כָּל הַצַּדִּיקִים וְהַחֲסִידִים וְהַתְּמִימִים וְהַיְשָׁרִים, שֶׁהֶאֱמִינוּ וּבָטְחוּ בְךָ בְּכָל לִבָּם וְנַפְשָׁם, חָנֵּנוּ וַעֲנֵנוּ וּשְׁמַע תְּפִלָּתֵנוּ. וְתִשְׁלַח בְּרָכָה וְהַצְלָחָה בְּכָל מַעֲשֵׂה יָדֵינוּ, וְהָכֵן פַּרְנָסָתֵנוּ מִיָּדְךָ הָרְחָבָה וְהַמְּלֵאָה, וְלֹא יִצְטָרְכוּ עַמְּךָ בֵּית יִשְׂרָאֵל זֶה לָזֶה וְלֹא לְעַם אַחֵר. וְתֵן לְכָל אִישׁ וְאִישׁ דֵּי פַּרְנָסָתוֹ וּלְכָל גְּוִיָּה וּגְוִיָּה דֵּי מַחְסוֹרָהּ. וּתְמַהֵר וְתָחִישׁ לְגָאֳלֵנוּ, וְתִבְנֶה בֵּית מִקְדָּשֵׁנוּ וְתִפְאַרְתֵּנוּ, וְתֵן חֶלְקֵנוּ בְתוֹרָתֶךָ, וְשָׁם נַעֲבָדְךָ בְּיִרְאָה כִּימֵי עוֹלָם וּכְשָׁנִים קַדְמוֹנִיּוֹת. יִהְיוּ לְרָצוֹן אִמְרֵי פִי וְהֶגְיוֹן לִבִּי לְפָנֶיךָ יְיָ צוּרִי וְגוֹאֲלִי.

in You in every situation, a total and complete trust, impenetrable, without any second thoughts or slackness, without any worry or fear whatsoever. Guard and save us from envy, hatred, and rivalry. Let us be exceedingly happy with another Jew's success.

"Our Heavenly Father, we have cast upon You our burdens. Please support us. Fulfill our desires and requests lovingly. We place our trust in You, may You be quick to set Your mercy before us. In the merit of our holy forefathers Avraham, Yitzchak, and Yaakov, and in the merit of all the righteous and pious ones who believed in You with all their heart and soul, may You act graciously with us, hearken and answer our prayers.

"Send Your blessing and help us succeed in everything we do, and prepare our income from Your open and full hand. Do not let us need the charity of other Jews or gentiles. Give each and every person his apportioned income, and to everyone their needs.

"Redeem us soon, and build the splendorous Temple. Give us our portion of Your Torah, and there, in the Temple, we shall serve you in awe as in the days of old. 'May the expressions of my mouth and the thoughts of my heart find favor before You, O God, my Rock and my Redeemer.'"

(*Eved Ha-melech*)

פֶּרֶק טו

פְּסוּקֵי בִּטָּחוֹן

א

אַשְׁרֵי יוֹשְׁבֵי בֵיתֶךָ עוֹד יְהַלְלוּךָ סֶּלָה (תהלים פד, ה): אַשְׁרֵי הָעָם שֶׁכָּכָה לּוֹ אַשְׁרֵי הָעָם שֶׁיְיָ אֱלֹהָיו (שם קמד, טו): יְיָ צְבָאוֹת עִמָּנוּ מִשְׂגָּב לָנוּ אֱלֹהֵי יַעֲקֹב סֶלָה (שם מו, ח): יְיָ צְבָאוֹת אַשְׁרֵי אָדָם בּוֹטֵחַ בָּךְ (שם פד, יג): יְיָ הוֹשִׁיעָה הַמֶּלֶךְ יַעֲנֵנוּ בְיוֹם קָרְאֵנוּ (שם כ, י): אַתָּה סֵתֶר לִי מִצַּר תִּצְּרֵנִי, רָנֵּי פַלֵּט תְּסוֹבְבֵנִי סֶלָה (שם לב, ז): וְעָרְבָה לַייָ מִנְחַת־יְהוּדָה וִירוּשָׁלָיִם כִּימֵי עוֹלָם וּכְשָׁנִים קַדְמוֹנִיּוֹת (מלאכי ג, ד): דּוֹם לַייָ וְהִתְחוֹלֵל לוֹ, אַל תִּתְחַר בְּמַצְלִיחַ דַּרְכּוֹ בְּאִישׁ עֹשֶׂה מְזִמּוֹת (תהלים לז, ז): יְיָ אֱלֹהַי בְּךָ חָסִיתִי הוֹשִׁיעֵנִי מִכָּל רֹדְפַי וְהַצִּילֵנִי (שם ז, ב): וַאֲנִי בְּחַסְדְּךָ בָטַחְתִּי יָגֵל לִבִּי בִּישׁוּעָתֶךָ, אָשִׁירָה לַייָ כִּי גָמַל עָלָי (שם יג, ו): מִכְתָּם לְדָוִד

15

Verses on Faith and Trust

·❧ 1 ❧·

"Fortunate are those who dwell in Your house, they shall praise You continually, selah" (*Tehillim* 84:5).

"Fortunate is the nation who does this for Him. Fortunate is the nation whose God is Hashem" (ibid. 144:15).

"Hashem, the God of hosts, is with us, uplifting us is the God of Yaakov, selah" (ibid. 46:8).

"Hashem is God of Hosts. Fortunate is the man who trusts in You" (ibid. 84:13).

"God saves; the King will answer us on the day we call out to Him" (ibid. 20:10).

"You shelter me, You preserve me from distress, with songs of deliverance to envelop me, selah" (ibid. 32:7).

"The offerings of Yehudah and Yerushalayim shall be pleasant to Hashem, as in the days of old, as in ancient years" (*Malachi* 3:4).

"Be silent before God, and wait patiently for Him; do not compete with him who prospers, with the man who performs malicious plans" (*Tehillim* 37:7).

"Hashem, my God, save me from all my pursuers and rescue me" (ibid. 7:2).

"But as for me, I trust in Your kindness; my heart shall rejoice in Your salvation" (ibid. 13:6).

שָׁמְרֵנִי אֵל כִּי חָסִיתִי בָךְ (שם טז, א): הַפְלֵה חֲסָדֶיךָ מוֹשִׁיעַ חוֹסִים מִמִּתְקוֹמְמִים בִּימִינֶךָ (שם יז, ז): כִּי הַמֶּלֶךְ בּוֹטֵחַ בַּיְיָ, וּבְחֶסֶד עֶלְיוֹן בַּל יִמּוֹט (שם כא, ח): אֱלֹהַי בְּךָ בָטַחְתִּי אַל אֵבוֹשָׁה אַל יַעַלְצוּ אוֹיְבַי לִי: גַּם כָּל קֹוֶיךָ לֹא יֵבוֹשׁוּ, יֵבוֹשׁוּ הַבּוֹגְדִים רֵיקָם: עֵינַי תָּמִיד אֶל יְיָ כִּי הוּא יוֹצִיא מֵרֶשֶׁת רַגְלָי: פְּנֵה אֵלַי וְחָנֵּנִי כִּי יָחִיד וְעָנִי אָנִי: צָרוֹת לְבָבִי הִרְחִיבוּ מִמְּצוּקוֹתַי הוֹצִיאֵנִי: רְאֵה עָנְיִי וַעֲמָלִי וְשָׂא לְכָל חַטֹּאתָי: רְאֵה אוֹיְבַי כִּי רָבּוּ וְשִׂנְאַת חָמָס שְׂנֵאוּנִי: שָׁמְרָה נַפְשִׁי וְהַצִּילֵנִי אַל אֵבוֹשׁ כִּי חָסִיתִי בָךְ: תֹּם וָיֹשֶׁר יִצְּרוּנִי כִּי קִוִּיתִיךָ: פְּדֵה אֱלֹהִים אֶת יִשְׂרָאֵל מִכֹּל צָרוֹתָיו (שם כ״ה):

ב

לְדָוִד יְיָ אוֹרִי וְיִשְׁעִי מִמִּי אִירָא, יְיָ מָעוֹז חַיַּי מִמִּי אֶפְחָד: בִּקְרֹב עָלַי מְרֵעִים לֶאֱכֹל אֶת בְּשָׂרִי, צָרַי וְאֹיְבַי לִי הֵמָּה כָשְׁלוּ וְנָפָלוּ: אִם תַּחֲנֶה עָלַי מַחֲנֶה לֹא יִירָא לִבִּי אִם תָּקוּם עָלַי מִלְחָמָה בְּזֹאת אֲנִי בוֹטֵחַ: אַל תִּתְּנֵנִי בְּנֶפֶשׁ צָרָי, כִּי קָמוּ בִי עֵדֵי שֶׁקֶר וִיפֵחַ חָמָס: לוּלֵא הֶאֱמַנְתִּי לִרְאוֹת בְּטוּב יְיָ

"Protect me, O God, for I have trusted in You" (ibid. 16:1).

"Show Your kindnesses, You who save with Your right hand those who seek refuge in You, from those who arise against them" (ibid. 17:7).

"For the king trusts in God, and in the lovingkindness of the Most High he shall not falter" (ibid. 21:8).

"Hashem, I have trusted in You, let me not be ashamed, let not my enemies exult over me. Furthermore, let none who hope in You be ashamed; let those who betray without a cause be ashamed...My eyes are constantly toward God, for He shall take my feet out from the snare. Turn to me and act graciously with me, for I am alone and afflicted. The troubles of my heart have increased, release me from my distress. Behold my affliction and my toil, and forgive all my sins. Behold my enemies for they are many, they hate me with a cruel hatred. Protect my soul and save me, let me not be ashamed, for I put my trust in You. Let integrity and uprightness guard me, for I hope in You. Redeem Yisrael, O God, from all its distresses" (from *Tehillim* 25).

⋙ 2 ⋘

"By David. God is my light and my salvation, from whom should I fear? Hashem is my life's strength, from whom shall I be afraid? When the wicked approach to devour my flesh, my enemies and foes — they are the ones who stumble and fall. Though an army encamp against me, my heart shall not fear; though war should rise up against me, in this I trust...Deliver me not over to the will of my enemies, for false witnesses have risen up against me who breathe words of violence. Were it not that I believed I would see the goodness of Hashem in the land of the

בְּאֶרֶץ חַיִּים: קַוֵּה אֶל יְיָ חֲזַק וְיַאֲמֵץ לִבֶּךָ וְקַוֵּה אֶל יְיָ (שם כ"ז):

יְיָ עֻזִּי וּמָגִנִּי בּוֹ בָטַח לִבִּי וְנֶעֱזָרְתִּי וַיַּעֲלֹז לִבִּי וּמִשִּׁירִי אֲהוֹדֶנּוּ (שם כח, ז):

בְּךָ יְיָ חָסִיתִי אַל אֵבוֹשָׁה לְעוֹלָם, בְּצִדְקָתְךָ פַלְּטֵנִי: תּוֹצִיאֵנִי מֵרֶשֶׁת זוּ טָמְנוּ לִי כִּי אַתָּה מָעוּזִּי: וְלֹא הִסְגַּרְתַּנִי בְּיַד אוֹיֵב, הֶעֱמַדְתָּ בַמֶּרְחָב רַגְלָי: כִּי שָׁמַעְתִּי דִּבַּת רַבִּים מָגוֹר מִסָּבִיב, בְּהִוָּסְדָם יַחַד עָלַי לָקַחַת נַפְשִׁי זָמָמוּ: וַאֲנִי עָלֶיךָ בָטַחְתִּי יְיָ אָמַרְתִּי אֱלֹהַי אָתָּה: בְּיָדְךָ עִתֹּתָי הַצִּילֵנִי מִיַּד אוֹיְבַי וּמֵרֹדְפָי: חִזְקוּ וְיַאֲמֵץ לְבַבְכֶם כָּל הַמְיַחֲלִים לַייָ (שם ל"א):

יְיָ הֵפִיר עֲצַת גּוֹיִם, הֵנִיא מַחְשְׁבוֹת עַמִּים: אֵין הַמֶּלֶךְ נוֹשָׁע בְּרָב־חָיִל, גִּבּוֹר לֹא יִנָּצֵל בְּרָב־כֹּחַ: שֶׁקֶר הַסּוּס לִתְשׁוּעָה וּבְרוֹב חֵילוֹ לֹא יְמַלֵּט: הִנֵּה עֵין יְיָ אֶל יְרֵאָיו לַמְיַחֲלִים לְחַסְדּוֹ: לְהַצִּיל מִמָּוֶת נַפְשָׁם וּלְחַיּוֹתָם בָּרָעָב: נַפְשֵׁנוּ חִכְּתָה לַייָ עֶזְרֵנוּ וּמָגִנֵּנוּ הוּא: כִּי בוֹ יִשְׂמַח לִבֵּנוּ כִּי בְשֵׁם קָדְשׁוֹ בָטָחְנוּ (שם ל"ג):

אַתָּה יָדְךָ גּוֹיִם הוֹרַשְׁתָּ וַתִּטָּעֵם, תָּרַע לְאֻמִּים וַתְּשַׁלְּחֵם: כִּי לֹא בְחַרְבָּם יָרְשׁוּ אָרֶץ וּזְרוֹעָם לֹא הוֹשִׁיעָה לָּמוֹ, כִּי יְמִינְךָ וּזְרוֹעֲךָ וְאוֹר פָּנֶיךָ כִּי רְצִיתָם: אַתָּה הוּא מַלְכִּי אֱלֹהִים צַוֵּה יְשׁוּעוֹת יַעֲקֹב: בְּךָ צָרֵינוּ נְנַגֵּחַ, בְּשִׁמְךָ נָבוּס קָמֵינוּ: כִּי לֹא

living! — Hope in God, strengthen yourself and He shall give you courage, and hope in God" (from *Tehillim* 27).

"Hashem is my strength and my shield, my heart trusted in Him and I was helped. Thus my heart rejoices, and with my songs I shall praise Him" (ibid. 28:7).

"In You, Hashem, I have taken refuge, let me never be ashamed, in Your righteousness deliver me...Pull me out of this net which they have hidden for me, for You are my stronghold...You have not delivered me into the hand of the enemy, You have set my feet in a broad place...For I have heard the slander of the many, terror all around, when they conspired against me, they plotted to take my life. But I trusted in You, Hashem, I have said, 'You are my God.' My times are in Your hand, save me from the hands of my enemies and from my pursuers...Be strong, and let your hearts take courage, all you who hope in Hashem" (from *Tehillim* 31).

"God annuls the counsel of people, He thwarts the designs of nations...A king is not saved by a great army, nor is a mighty man rescued by great strength. A horse is a vain tool of safety, despite its great strength it provides no escape. Behold, the eye of God is upon those who fear Him, upon those who await His kindness. He saves their souls from death, and sustains them at a time of famine. Our souls hope in God, for He is our help and shield. Our hearts rejoice in Him, for in His holy Name we have trusted" (from *Tehillim* 33).

"How You drove out nations with Your hand, and You implanted them, how You afflicted the nations and banished them. For not by their sword did they possess the land, nor did their own arm save them; but by Your right hand, Your arm, and the light of Your countenance, for You favored them. You are my King, Hashem, command the salvations of Yaakov. Through You shall we gore our

בְקַשְׁתִּי אֶבְטָח וְחַרְבִּי לֹא תוֹשִׁיעֵנִי: כִּי הוֹשַׁעְתָּנוּ מִצָּרֵינוּ וּמְשַׂנְאֵינוּ הֱבִישׁוֹתָ: בֵּאלֹהִים הִלַּלְנוּ כָל הַיּוֹם, וְשִׁמְךָ לְעוֹלָם נוֹדֶה סֶלָה: קוּמָה עֶזְרָתָה לָּנוּ וּפְדֵנוּ לְמַעַן חַסְדֶּךָ (שם מ״ד):

ג

הַשְׁלֵךְ עַל יְיָ יְהָבְךָ וְהוּא יְכַלְכְּלֶךָ, לֹא יִתֵּן לְעוֹלָם מוֹט לַצַּדִּיק (שם נה, כג):

חָנֵּנִי אֱלֹהִים כִּי שְׁאָפַנִי אֱנוֹשׁ כָּל הַיּוֹם לוֹחֵם יִלְחָצֵנִי: שָׁאֲפוּ שׁוֹרְרַי כָּל הַיּוֹם כִּי רַבִּים לוֹחֲמִים לִי מָרוֹם: יוֹם אִירָא אֲנִי אֵלֶיךָ אֶבְטָח: בֵּאלֹהִים אֲהַלֵּל דְּבָרוֹ, בֵּאלֹהִים בָּטַחְתִּי לֹא אִירָא, מַה יַּעֲשֶׂה אָדָם לִי: כִּי הִצַּלְתָּ נַפְשִׁי מִמָּוֶת, הֲלֹא רַגְלַי מִדֶּחִי, לְהִתְהַלֵּךְ לִפְנֵי אֱלֹהִים בְּאוֹר הַחַיִּים (שם נ״ו):

חָנֵּנִי אֱלֹהִים חָנֵּנִי כִּי בְךָ חָסָיָה נַפְשִׁי, וּבְצֵל כְּנָפֶיךָ אֶחְסֶה עַד יַעֲבֹר הַוּוֹת (שם נז, ב):

כִּי הָיִיתָ מַחְסֶה לִי, מִגְדַּל-עֹז מִפְּנֵי אוֹיֵב (שם סא, ד):

אַךְ לֵאלֹהִים דּוֹמִי נַפְשִׁי כִּי מִמֶּנּוּ תִּקְוָתִי: אַךְ הוּא צוּרִי וִישׁוּעָתִי, מִשְׂגַּבִּי לֹא אֶמּוֹט: עַל אֱלֹהִים יִשְׁעִי וּכְבוֹדִי, צוּר עֻזִּי, מַחְסִי בֵּאלֹהִים: בִּטְחוּ בוֹ בְכָל עֵת, עָם שִׁפְכוּ לְפָנָיו לְבַבְכֶם, אֱלֹהִים מַחֲסֶה לָּנוּ סֶלָה: אַךְ הֶבֶל בְּנֵי אָדָם כָּזָב בְּנֵי

enemies, by Your Name we will trample our foes. For I did not trust in my bow, nor shall my sword save me. For You have saved us from our enemies, and You have shamed those who hate us. In God we shall glory all the day, and in Your Name we shall praise forever, selah...Arise, and help us, and redeem us for the sake of Your kindness" (from *Tehillim* 44).

❧ 3 ❧

"Cast upon God your burden, and He shall sustain you; He shall never allow the righteous to falter" (ibid. 55:23).

"Favor me, Hashem, for men long to swallow me up; every day, warlike, they oppress me. My enemies daily long to swallow me up, for they are many who fight against me, O Most High. On the day that I fear, I shall trust in You...When God acts in strict judgment, I shall still praise His Word, in God I have trusted, I shall not fear, what can mortal flesh do to me? For You have saved my soul from death, even my feet from stumbling; that I may walk before God in the light of life" (from *Tehillim* 56).

"Be gracious to me, O God, be gracious to me, for in You has my soul taken refuge, and in the shadow of Your wings I shall take refuge until calamities pass over" (ibid. 57:2).

"You have been a refuge for me, a tower of strength in the face of the enemy" (ibid. 61:4).

"For God alone my soul waits silently, from Him is my hope. He alone is my Rock and my Salvation; He is my stronghold, I shall not be moved. In God is my salvation and my glory, the rock of my strength and my refuge is God. Trust in Him at all times, O nation, pour out your hearts before Him, God is a refuge for us, selah. Common men are but vanity, and distinguished people are a

אִישׁ, בְּמֹאזְנַיִם לַעֲלוֹת הֵמָּה מֵהֶבֶל יָחַד: אַל תִּבְטְחוּ בְעֹשֶׁק וּבְגָזֵל אַל תֶּהְבָּלוּ חַיִל כִּי יָנוּב, אַל תָּשִׁיתוּ לֵב (שם ס״ב):

ד

אֹמַר לַייָ מַחְסִי וּמְצוּדָתִי, אֱלֹהַי אֶבְטַח בּוֹ: כִּי הוּא יַצִּילְךָ מִפַּח יָקוּשׁ, מִדֶּבֶר הַוּוֹת: בְּאֶבְרָתוֹ יָסֶךְ לָךְ וְתַחַת כְּנָפָיו תֶּחְסֶה, צִנָּה וְסֹחֵרָה אֲמִתּוֹ: לֹא תִירָא מִפַּחַד לָיְלָה, מֵחֵץ יָעוּף יוֹמָם: מִדֶּבֶר בָּאֹפֶל יַהֲלֹךְ, מִקֶּטֶב יָשׁוּד צָהֳרָיִם: יִפֹּל מִצִּדְּךָ אֶלֶף, וּרְבָבָה מִימִינֶךָ, אֵלֶיךָ לֹא יִגָּשׁ (שם צ״א):

מִשְּׁמוּעָה רָעָה לֹא יִירָא, נָכוֹן לִבּוֹ בָּטֻחַ בַּייָ: סָמוּךְ לִבּוֹ לֹא יִירָא עַד אֲשֶׁר יִרְאֶה בְצָרָיו (שם קי״ב):

יִשְׂרָאֵל בְּטַח בַּייָ עֶזְרָם וּמָגִנָּם הוּא (שם קטו, ט):

יְיָ לִי לֹא אִירָא, מַה יַּעֲשֶׂה לִי אָדָם: יְיָ לִי בְּעֹזְרָי וַאֲנִי אֶרְאֶה בְשֹׂנְאָי: טוֹב לַחֲסוֹת בַּייָ מִבְּטֹחַ בִּנְדִיבִים (שם קי״ח):

וְאָמַרְתָּ בִּלְבָבֶךָ כֹּחִי וְעֹצֶם יָדִי עָשָׂה לִי אֶת הַחַיִל הַזֶּה: וְזָכַרְתָּ אֶת יְיָ אֱלֹהֶיךָ כִּי הוּא הַנֹּתֵן לְךָ כֹּחַ לַעֲשׂוֹת חָיִל לְמַעַן

lie. Were they placed on the scales, together they would be lighter than vanity. Trust not in oppression, and in robbery place not vain hope, though wealth flourishes, set not your heart upon it" (ibid. 62:6-11).

❧ 4 ❧

"I will say to Hashem, 'He is my refuge and my fortress, my God I shall trust in Him.' For He will deliver you from the ensnaring trap, from the terrible pestilence. He shall cover you with His pinions, and under His wings your shall find refuge, His truth shall be your shield and armor. You shall not be afraid of the terror of night, nor of the arrow that flies by day, nor of the pestilence that walks in darkness, nor of the destroyer who lays waste at noon. A thousand shall fall at your side, and a myriad at your right hand, but it shall not come near you" (ibid. 91:2-7).

"He shall not be afraid of evil tidings, his heart is firm, trusting in God. His heart is steadfast, he shall not fear, until he can gaze upon his enemies" (ibid. 112:7-8).

"O Yisrael, trust in God, He is their help and their shield" (ibid. 115:9).

"Hashem is with me, I shall not fear, what can man do to me? Hashem is with me through my helpers, therefore I can gaze upon those who hate me. It is better to take refuge with God than to rely on man. It is better to take refuge with God than to rely on nobles" (ibid. 118:6-9).

"You say in your heart, 'My power and might have brought me this wealth.' But you shall remember Hashem your God, for it is He who gives you the power to become wealthy, so that He may establish His convenant which

הָקִים אֶת בְּרִיתוֹ אֲשֶׁר נִשְׁבַּע לַאֲבֹתֶיךָ כַּיּוֹם הַזֶּה (דברים ח׳):

בְּטַח אֶל יְיָ בְּכָל־לִבֶּךָ, וְאֶל בִּינָתְךָ אַל תִּשָּׁעֵן: בְּכָל דְּרָכֶיךָ דָעֵהוּ וְהוּא יְיַשֵּׁר אֹרְחֹתֶיךָ. אַל תְּהִי חָכָם בְּעֵינֶיךָ יְרָא אֶת יְיָ וְסוּר מֵרָע (משלי ג׳):

מַשְׂכִּיל עַל דָּבָר יִמְצָא טוֹב, וּבוֹטֵחַ בַּייָ אַשְׁרָיו (שם טז, כ):

רַבּוֹת מַחֲשָׁבוֹת בְּלֶב־אִישׁ, וַעֲצַת יְיָ הִיא תָקוּם (שם יט, כא):

רְחַב־נֶפֶשׁ יְגָרֶה מָדוֹן, וּבֹטֵחַ עַל יְיָ יְדֻשָּׁן: בּוֹטֵחַ בְּלִבּוֹ הוּא כְסִיל, וְהוֹלֵךְ בְּחָכְמָה הוּא יִמָּלֵט (שם כח, כה־כו):

חֶרְדַּת אָדָם יִתֵּן מוֹקֵשׁ, וּבוֹטֵחַ בַּייָ יְשֻׂגָּב (שם כט, כד):

ה

הִנֵּה אֵל יְשׁוּעָתִי אֶבְטַח וְלֹא אֶפְחָד, כִּי עָזִּי וְזִמְרָת יָהּ יְיָ וַיְהִי לִי לִישׁוּעָה (ישעיה יב, ב):

בִּטְחוּ בַייָ עֲדֵי עַד, כִּי בְּיָהּ יְיָ צוּר עוֹלָמִים (שם כו, ד):
הוֹי הַיֹּרְדִים מִצְרַיִם לְעֶזְרָה וְעַל סוּסִים יִשָּׁעֵנוּ וַיִּבְטְחוּ עַל רֶכֶב כִּי רָב וְעַל פָּרָשִׁים כִּי עָצְמוּ מְאֹד, וְלֹא שָׁעוּ עַל קְדוֹשׁ יִשְׂרָאֵל וְאֶת יְיָ לֹא דָרָשׁוּ (שם לא, א):

כִּי יְיָ שֹׁפְטֵנוּ יְיָ מְחֹקְקֵנוּ יְיָ מַלְכֵּנוּ הוּא יוֹשִׁיעֵנוּ (שם לג, כב):

He swore to your forefathers, as it is this day" (*Devarim* 8:17-18).

"Trust in God with all your heart, and do not rely upon your own understanding. In all your ways acknowledge Him, and He shall direct your paths. Be not smart in your own eyes, fear Hashem and depart from evil" (*Mishlei* 3:5-7).

"He who considers his words shall find good, and he who trusts in Hashem shall be happy" (ibid. 16:20).

"There are many thoughts in a man's heart, but the counsel of Hashem shall come to be" (ibid. 19:21).

"A greedy person stirs up strife, but one who puts his trust in God shall be made rich. He who trusts in his own heart is a fool, but he who walks wisely shall escape" (ibid. 28:25-26).

"The fear of man brings a snare, but he who puts his trust in Hashem shall be protected" (ibid. 29:25).

⁓ 5 ⁓

"Behold, God is my salvation. I will trust and not fear, for Hashem, God, is my strength and song; for me, He is my salvation" (*Yeshayahu* 12:2).

"Trust in God forever, for Hashem, God, is an eternal Rock" (ibid. 26:4).

"Woe to them that go down to Egypt for help, and rely on horses and trust in chariots, because they are many; and in the horsemen because they are very strong; but they look not to the Holy One of Yisrael, nor do they seek Hashem" (ibid. 31:1).

"Hashem is our Judge, Hashem is our Lawgiver, Hashem is our King; He shall save us" (ibid. 33:22).

וְקוֵֹי יְיָ יַחֲלִיפוּ כֹחַ, יַעֲלוּ אֵבֶר כַּנְּשָׁרִים, יָרוּצוּ וְלֹא יִיגָעוּ, יֵלְכוּ וְלֹא יִיעָפוּ (שם מ, לא):

פְּנוּ אֵלַי וְהִוָּשְׁעוּ כָּל אַפְסֵי אָרֶץ, כִּי אֲנִי אֵל וְאֵין עוֹד (שם מה, כב):

ו

כֹּה אָמַר יְיָ אָרוּר הַגֶּבֶר אֲשֶׁר יִבְטַח בָּאָדָם וְשָׂם בָּשָׂר זְרֹעוֹ, וּמִן יְיָ יָסוּר לִבּוֹ: וְהָיָה כְּעַרְעָר בָּעֲרָבָה וְלֹא יִרְאֶה כִּי יָבוֹא טוֹב, וְשָׁכַן חֲרֵרִים בַּמִּדְבָּר אֶרֶץ מְלֵחָה וְלֹא תֵשֵׁב: בָּרוּךְ הַגֶּבֶר אֲשֶׁר יִבְטַח בַּייָ וְהָיָה יְיָ מִבְטַחוֹ: וְהָיָה כְּעֵץ שָׁתוּל עַל מַיִם וְעַל יוּבַל יְשַׁלַּח שָׁרָשָׁיו וְלֹא יִרְאֶה כִּי יָבֹא חֹם, וְהָיָה עָלֵהוּ רַעֲנָן, וּבִשְׁנַת בַּצֹּרֶת לֹא יִדְאָג וְלֹא יָמִישׁ מֵעֲשׂוֹת פֶּרִי (ירמיה י״ז):

כִּי מַלֵּט אֲמַלֶּטְךָ וּבַחֶרֶב לֹא תִפֹּל, וְהָיְתָה לְךָ נַפְשְׁךָ לְשָׁלָל, כִּי בָטַחְתָּ בִּי נְאֻם יְיָ (שם לט, יח):

וְאַתָּה בֵּאלֹהֶיךָ תָשׁוּב, חֶסֶד וּמִשְׁפָּט שְׁמֹר, וְקַוֵּה אֶל אֱלֹהֶיךָ תָּמִיד (הושע יב, ז):

וְהָיָה שְׁאֵרִית יַעֲקֹב בְּקֶרֶב עַמִּים רַבִּים כְּטַל מֵאֵת יְיָ, כִּרְבִיבִים עֲלֵי עֵשֶׂב, אֲשֶׁר לֹא יְקַוֶּה לְאִישׁ וְלֹא יְיַחֵל לִבְנֵי אָדָם (מיכה ה, ו):

טוֹב יְיָ לְמָעוֹז בְּיוֹם צָרָה, וְיֹדֵעַ חוֹסֵי בוֹ (נחום א, ז):

"But those who remain hopeful in God shall have their strength renewed, and they shall ascend with wings as eagles; they shall dash forth and not become weary, they shall walk and not faint" (ibid. 40:31).

"Turn to Me and be saved, all the ends of the earth, for I am God, there is no one else" (ibid. 45:22).

6

"Thus says Hashem, 'Cursed be the man who trusts in man, and makes flesh his arm, and whose heart turns away from God. For he shall be like the juniper tree in the desert, and shall not see when good comes; but shall inhabit the parched places in the wilderness, an uninhabited salt land.

'Blessed is the man who trusts in Hashem, and who hopes in God. For he shall be like a tree planted by the waters, whose roots spread out by the river, and shall not be fearful in the year of drought, nor shall it cease from yielding fruit'" (*Yirmeyahu* 17:5-8).

"For I shall surely save you, and you shall not fall by the sword; you shall escape with your life because you put your trust in Me, says Hashem" (ibid. 39:18).

"Return to your God, keep truth and justice, and wait for your God continually" (*Hoshea* 12:7).

"The remnant of Yaakov shall be in the midst of many peoples like dew from Hashem, like the showers upon the grass, that tarries not for man, nor waits for the sons of men" (*Michah* 5:6).

"Hashem is good, a stronghold in the day of trouble, and He knows them that trust in Him" (*Nachum* 1:7).

ז

כִּי תֵצֵא לַמִּלְחָמָה עַל אֹיְבֶךָ וְרָאִיתָ סוּס וָרֶכֶב עַם רַב
מִמְּךָ, לֹא תִירָא מֵהֶם כִּי יְיָ אֱלֹהֶיךָ עִמָּךְ הַמַּעַלְךָ מֵאֶרֶץ
מִצְרָיִם (דברים כ, א):

חִזְקוּ וְאִמְצוּ אַל תִּירְאוּ וְאַל תַּעַרְצוּ מִפְּנֵיהֶם כִּי יְיָ אֱלֹהֶיךָ
הוּא הַהֹלֵךְ עִמָּךְ לֹא יַרְפְּךָ וְלֹא יַעַזְבֶךָּ (שם לא, ו):

וָאַעֲמִיד מִתַּחְתִּיּוֹת לַמָּקוֹם מֵאַחֲרֵי לַחוֹמָה בַּצְּחִיחִים
וָאַעֲמִיד אֶת הָעָם לְמִשְׁפָּחוֹת עִם חַרְבֹתֵיהֶם רָמְחֵיהֶם
וְקַשְּׁתֹתֵיהֶם: וָאֵרֶא וָאָקוּם וָאֹמַר אֶל הַחֹרִים וְאֶל הַסְּגָנִים
וְאֶל יֶתֶר הָעָם אַל־תִּירְאוּ מִפְּנֵיהֶם, אֶת אֲדֹנָי הַגָּדוֹל וְהַנּוֹרָא
זְכֹרוּ וְהִלָּחֲמוּ עַל אֲחֵיכֶם בְּנֵיכֶם וּבְנֹתֵיכֶם נְשֵׁיכֶם וּבָתֵּיכֶם:
וָאֹמַר אֶל הַחֹרִים וְאֶל הַסְּגָנִים וְאֶל יֶתֶר הָעָם, הַמְּלָאכָה הַרְבֵּה
וּרְחָבָה וַאֲנַחְנוּ נִפְרָדִים עַל הַחוֹמָה רְחוֹקִים אִישׁ מֵאָחִיו:
בִּמְקוֹם אֲשֶׁר תִּשְׁמְעוּ אֶת קוֹל הַשּׁוֹפָר שָׁמָּה תִּקָּבְצוּ אֵלֵינוּ,
אֱלֹהֵינוּ יִלָּחֶם לָנוּ (נחמיה ד'):

בְּנֵי רְאוּבֵן וְגָדִי וַחֲצִי שֵׁבֶט מְנַשֶּׁה מִן בְּנֵי חַיִל אֲנָשִׁים
נֹשְׂאֵי מָגֵן וְחֶרֶב וְדֹרְכֵי קֶשֶׁת וּלְמוּדֵי מִלְחָמָה אַרְבָּעִים וְאַרְבָּעָה
אֶלֶף וּשְׁבַע־מֵאוֹת וְשִׁשִּׁים יֹצְאֵי צָבָא: וַיַּעֲשׂוּ מִלְחָמָה עִם
הַהַגְרִיאִים וִיטוּר וְנָפִישׁ וְנוֹדָב: וַיֵּעָזְרוּ עֲלֵיהֶם וַיִּנָּתְנוּ בְיָדָם
הַהַגְרִיאִים וְכֹל שֶׁעִמָּהֶם, כִּי לֵאלֹהִים זָעֲקוּ בַּמִּלְחָמָה וְנַעְתּוֹר
לָהֶם כִּי בָטְחוּ בוֹ: וַיִּשְׁבּוּ מִקְנֵיהֶם, גְּמַלֵּיהֶם חֲמִשִּׁים אֶלֶף,

7

"When you shall go out to battle against your enemies, and see horses, chariots with more soldiers than you, don't be afraid of them, for Hashem your God is with you, Who brought you out of the land of Egypt" (*Devarim* 20:1).

"Be strong and courageous. Fear not, and don't be afraid of them, for Hashem your God will go with you. He will not fail you or forsake you" (ibid. 31:6).

During the rebuilding of the Second Temple, when the Jews realized that foreigners were scheming a surprise attack, the prophet Nechemyah said, "Therefore, I stationed people in the lower places behind the wall on the bare face of the rock. I stationed them according to their families, with their swords, spears, and bows. And I looked, and rose up, and said to the nobles and to the rulers, and to the rest of the people, 'Be not afraid of them. Remember Hashem, who is great and awesome, and fight for your brethren, your sons and your daughters, your wives, and your houses'...I said to the nobles, to the rulers, and to the rest of the people, 'The work is great and large, and we are separated by the wall, far from one another. In whatever place you hear the sound of the shofar, rally to us there, our God shall fight for us.'" (from *Nechemyah* 4).

"The children of Reuven, Gad, and half the tribe of Menashe, men at arms, skillful bearers of shield and sword, competent drawers of the bow, and skillful in war, were forty-four thousand seven hundred and sixty, who went out to war. And they went to war against the Hagarites, Yetur, Nafish, and Nodav. And they were helped against them, and the Hagarites were delivered into their hands, and all that were with them: for they cried to God in the battle, and He granted their entreaty, because they put

וְצֹאן מָאתַיִם וַחֲמִשִּׁים אֶלֶף, וַחֲמוֹרִים אַלְפָּיִם, וְנֶפֶשׁ אָדָם מֵאָה אָלֶף: כִּי חֲלָלִים רַבִּים נָפָלוּ, כִּי מֵהָאֱלֹהִים הַמִּלְחָמָה, וַיֵּשְׁבוּ תַחְתֵּיהֶם עַד הַגֹּלָה (דברי הימים א ה):

וַיֵּצֵא אָסָא לְפָנָיו, וַיַּעַרְכוּ מִלְחָמָה בְּגֵיא צְפָתָה לְמָרֵשָׁה: וַיִּקְרָא אָסָא אֶל יְיָ אֱלֹהָיו וַיֹּאמַר, יְיָ אֵין עִמְּךָ לַעְזוֹר בֵּין רַב לְאֵין־כֹּחַ, עָזְרֵנוּ יְיָ אֱלֹהֵינוּ כִּי עָלֶיךָ נִשְׁעַנּוּ וּבְשִׁמְךָ בָאנוּ עַל הֶהָמוֹן הַזֶּה, יְיָ אֱלֹהֵינוּ אַתָּה אַל יַעְצֹר עִמְּךָ אֱנוֹשׁ: וַיִּגֹּף יְיָ אֶת הַכּוּשִׁים לִפְנֵי אָסָא וְלִפְנֵי יְהוּדָה וַיָּנֻסוּ הַכֻּשִׁים: וַיִּרְדְּפֵם אָסָא וְהָעָם אֲשֶׁר עִמּוֹ עַד לִגְרָר, וַיִּפֹּל מִכּוּשִׁים לְאֵין לָהֶם מִחְיָה, כִּי נִשְׁבְּרוּ לִפְנֵי יְיָ וְלִפְנֵי מַחֲנֵהוּ, וַיִּשְׂאוּ שָׁלָל הַרְבֵּה מְאֹד: וַיַּכּוּ אֵת כָּל הֶעָרִים סְבִיבוֹת גְּרָר כִּי הָיָה פַחַד יְיָ עֲלֵיהֶם, וַיָּבֹזּוּ אֶת כָּל הֶעָרִים, כִּי בִזָּה רַבָּה הָיְתָה בָהֶם: וְגַם אָהֳלֵי מִקְנֶה הִכּוּ, וַיִּשְׁבּוּ צֹאן לָרֹב וּגְמַלִּים וַיָּשֻׁבוּ יְרוּשָׁלָיִם (דברי הימים ב י״ד):

וּבָעֵת הַהִיא בָּא חֲנָנִי הָרֹאֶה אֶל אָסָא מֶלֶךְ יְהוּדָה וַיֹּאמֶר אֵלָיו, בְּהִשָּׁעֶנְךָ עַל מֶלֶךְ אֲרָם וְלֹא נִשְׁעַנְתָּ עַל יְיָ אֱלֹהֶיךָ עַל־כֵּן נִמְלַט חֵיל מֶלֶךְ אֲרָם מִיָּדֶךָ: הֲלֹא הַכּוּשִׁים וְהַלּוּבִים הָיוּ לְחַיִל לָרֹב, לְרֶכֶב וּלְפָרָשִׁים לְהַרְבֵּה מְאֹד וּבְהִשָּׁעֶנְךָ עַל יְיָ נְתָנָם בְּיָדֶךָ: כִּי יְיָ עֵינָיו מְשֹׁטְטוֹת בְּכָל הָאָרֶץ לְהִתְחַזֵּק

their trust in Him. And they took away their cattle; of their camels fifty thousand, and of sheep two hundred and fifty thousand, and of donkeys two thousand, and of men a hundred thousand. For there fell down many slain, because the war was from God. And they dwelled in their stead until the exile" (I *Divrei Ha-yamim* 5:18-22).

"Then Asa went out against Zerach the Kushite and his huge army, and they arranged the battle in the valley of Tzefasa at Mareshah. And Asa cried to Hashem his God and said, 'O God, it is nothing for You to help us, whether with many or with those who have no power. Help us, Hashem our God, for we rely on You, and in Your Name we go against this multitude. Hashem, You are our God, let not man prevail against You.'

"So Hashem smote the Kushites before Asa and before Judah, and the Kushites fled. And Asa and the people who were with him pursued them to Gerar, and the Kushites were broken to the point of no return, for they were destroyed before Hashem and before His host, and they carried away very much spoil. And they smote all the cities around Gerar, for the fear of Hashem came upon them, and they spoiled all the cities, for there was very much plunder. They smote also the tents of cattle, and carried away sheep and camels in abundance, and returned to Yerushalayim" (II *Divrei Ha-yamim* 14:9-14).

"At that time the seer Chanani came to Asa, king of Yehudah, and said to him, 'Because you have relied on the king of Aram, and not relied on Hashem your God, therefore the host of the king of Aram has escaped out of your hand. Were not the Kushites and the Luvites a huge host, with very many chariots and horsemen? Yet, because you relied on God, He delivered them into your hand. For the eyes of Hashem go to and fro throughout

עִם לְבָבָם שָׁלֵם אֵלָיו, נִסְכַּלְתָּ עַל זֹאת כִּי מֵעַתָּה יֵשׁ עִמְּךָ מִלְחָמוֹת (שם ט״ז):

וַיְהִי כִּרְאוֹת שָׂרֵי הָרֶכֶב אֶת יְהוֹשָׁפָט וְהֵמָּה אָמְרוּ מֶלֶךְ יִשְׂרָאֵל הוּא וַיָּסֹבּוּ עָלָיו לְהִלָּחֵם, וַיִּזְעַק יְהוֹשָׁפָט, וַיְיָ עֲזָרוֹ, וַיְסִיתֵם אֱלֹהִים מִמֶּנּוּ (שם י״ח):

וַיִּתֵּן שָׂרֵי מִלְחָמוֹת עַל הָעָם, וַיִּקְבְּצֵם אֵלָיו אֶל רְחוֹב שַׁעַר הָעִיר וַיְדַבֵּר עַל לְבָבָם לֵאמֹר: חִזְקוּ וְאִמְצוּ אַל־תִּירְאוּ וְאַל־תֵּחַתּוּ מִפְּנֵי מֶלֶךְ אַשּׁוּר וּמִלִּפְנֵי כָּל הֶהָמוֹן אֲשֶׁר עִמּוֹ, כִּי עִמָּנוּ רַב מֵעִמּוֹ: עִמּוֹ זְרוֹעַ בָּשָׂר וְעִמָּנוּ יְיָ אֱלֹהֵינוּ לְעָזְרֵנוּ וּלְהִלָּחֵם מִלְחֲמֹתֵינוּ, וַיִּסָּמְכוּ הָעָם עַל דִּבְרֵי יְחִזְקִיָּהוּ מֶלֶךְ יְהוּדָה (שם ל״ב):

וַיַּשְׁכִּימוּ בַבֹּקֶר וַיֵּצְאוּ לְמִדְבַּר תְּקוֹעַ, וּבְצֵאתָם עָמַד יְהוֹשָׁפָט, וַיֹּאמֶר, שְׁמָעוּנִי יְהוּדָה וְיֹשְׁבֵי יְרוּשָׁלִַם, הַאֲמִינוּ בַּיְיָ אֱלֹהֵיכֶם וְתֵאָמֵנוּ, הַאֲמִינוּ בִנְבִיאָיו וְהַצְלִיחוּ (שם ב, כ):

the whole earth, to show Himself strong on behalf of those whose heart is perfect toward Him. In this you have done foolishly. Therefore, from now on you shall have wars'" (ibid. 16:7-9).

"It came to pass, when the captains of the enemy chariots saw Yehoshafat, they said, 'It is the king of Yisrael.' Therefore they surrounded him to fight, but Yehoshafat cried out, and Hashem helped him, and God drew them away from him" (ibid. 18:31).

"King Yechizkiyahu set captains of war over the people (when Sancheriv was approaching with his army), and gathered them together to him in the road place at the gate of the city, and spoke words of encouragement to them saying, 'Be strong and courageous, be not afraid or dismayed on account of the king of Ashur, or on account of the multitude that is with him. For there are more with us than with him: with him is an arm of flesh, but with us is Hashem, our God, to help us and to fight our battles.' And the people took confidence from the words of Yechizkiyahu king of Yehudah" (ibid. 32:6-8).

"They rose early in the morning and went out into the wilderness of Tekoa. As they set out, Yehoshafat stood and said, 'Hear me, O Yehudah, and you inhabitants of Yerushalayim. Believe in Hashem, your God, so that you shall be established. Believe in His prophets, so that you shall prosper'" (ibid. 20:20).

פֶּרֶק טז

שְׁלֹשׁ-עֶשְׂרֵה עִקָּרִים

א) אֲנִי מַאֲמִין בֶּאֱמוּנָה שְׁלֵמָה, שֶׁהַבּוֹרֵא יִתְבָּרַךְ שְׁמוֹ, הוּא בּוֹרֵא וּמַנְהִיג לְכָל-הַבְּרוּאִים, וְהוּא לְבַדּוֹ עָשָׂה וְעוֹשֶׂה וְיַעֲשֶׂה לְכָל-הַמַּעֲשִׂים:

ב) אֲנִי מַאֲמִין בֶּאֱמוּנָה שְׁלֵמָה, שֶׁהַבּוֹרֵא יִתְבָּרַךְ שְׁמוֹ, הוּא יָחִיד, וְאֵין יְחִידוּת כָּמוֹהוּ בְּשׁוּם-פָּנִים, וְהוּא לְבַדּוֹ אֱלֹהֵינוּ הָיָה הֹוֶה וְיִהְיֶה:

ג) אֲנִי מַאֲמִין בֶּאֱמוּנָה שְׁלֵמָה, שֶׁהַבּוֹרֵא יִתְבָּרַךְ שְׁמוֹ, אֵינוֹ גוּף, וְלֹא יַשִּׂיגוּהוּ מַשִּׂיגֵי הַגּוּף, וְאֵין לוֹ שׁוּם דִּמְיוֹן כְּלָל:

ד) אֲנִי מַאֲמִין בֶּאֱמוּנָה שְׁלֵמָה, שֶׁהַבּוֹרֵא יִתְבָּרַךְ שְׁמוֹ, הוּא רִאשׁוֹן וְהוּא אַחֲרוֹן:

ה) אֲנִי מַאֲמִין בֶּאֱמוּנָה שְׁלֵמָה, שֶׁהַבּוֹרֵא יִתְבָּרַךְ שְׁמוֹ, לוֹ לְבַדּוֹ רָאוּי לְהִתְפַּלֵּל, וְאֵין רָאוּי לְהִתְפַּלֵּל לְזוּלָתוֹ:

ו) אֲנִי מַאֲמִין בֶּאֱמוּנָה שְׁלֵמָה שֶׁכָּל דִּבְרֵי נְבִיאִים אֱמֶת:

16

Thirteen Principles of Faith

ONE

I believe with perfect faith that God is the Creator and Guide of everything that has been created, and that He alone has made, does make, and will make all things.

TWO

I believe with perfect faith that the Creator is One, and that there is no oneness like His in any way; that He alone is our God, Who was, is and will be.

THREE

I believe with perfect faith that the Creator is not a physical being, nor is He subject to physical changes; nor does He have any physical form whatsoever.

FOUR

I believe with perfect faith that the Creator is the first and the last.

FIVE

I believe with perfect faith that it is appropriate to pray to Him alone, and that it is not proper to pray to any being besides Him.

SIX

I believe with perfect faith that all the words of the prophets are true.

ז) אֲנִי מַאֲמִין בֶּאֱמוּנָה שְׁלֵמָה, שֶׁנְּבוּאַת משֶׁה רַבֵּנוּ עָלָיו הַשָּׁלוֹם הָיְתָה אֲמִתִּית, וְשֶׁהוּא הָיָה אָב לַנְּבִיאִים, לַקּוֹדְמִים לְפָנָיו וְלַבָּאִים אַחֲרָיו:

ח) אֲנִי מַאֲמִין בֶּאֱמוּנָה שְׁלֵמָה, שֶׁכָּל הַתּוֹרָה הַמְּצוּיָה עַתָּה בְיָדֵינוּ, הִיא הַנְּתוּנָה לְמשֶׁה רַבֵּנוּ עָלָיו הַשָּׁלוֹם:

ט) אֲנִי מַאֲמִין בֶּאֱמוּנָה שְׁלֵמָה, שֶׁזֹּאת הַתּוֹרָה לֹא תְהֵא מֻחְלֶפֶת, וְלֹא תְהֵא תוֹרָה אַחֶרֶת מֵאֵת הַבּוֹרֵא יִתְבָּרַךְ שְׁמוֹ:

י) אֲנִי מַאֲמִין בֶּאֱמוּנָה שְׁלֵמָה, שֶׁהַבּוֹרֵא יִתְבָּרַךְ שְׁמוֹ, יוֹדֵעַ כָּל מַעֲשֵׂה בְנֵי אָדָם וְכָל־מַחְשְׁבוֹתָם, שֶׁנֶּאֱמַר (תהלים לג, טו) ״הַיּוֹצֵר יַחַד לִבָּם הַמֵּבִין אֶל כָּל מַעֲשֵׂיהֶם״:

יא) אֲנִי מַאֲמִין בֶּאֱמוּנָה שְׁלֵמָה, שֶׁהַבּוֹרֵא יִתְבָּרַךְ שְׁמוֹ גּוֹמֵל טוֹב לְשׁוֹמְרֵי מִצְוֹתָיו, וּמַעֲנִישׁ לְעוֹבְרֵי מִצְוֹתָיו:

יב) אֲנִי מַאֲמִין בֶּאֱמוּנָה שְׁלֵמָה בְּבִיאַת הַמָּשִׁיחַ, וְאַף־עַל־פִּי שֶׁיִּתְמַהְמֵהַּ עִם־כָּל־זֶה אֲחַכֶּה לוֹ בְּכָל־יוֹם שֶׁיָּבוֹא:

יג) אֲנִי מַאֲמִין בֶּאֱמוּנָה שְׁלֵמָה, שֶׁתִּהְיֶה תְּחִיַּת־הַמֵּתִים, בְּעֵת שֶׁיַּעֲלֶה רָצוֹן מֵאֵת הַבּוֹרֵא יִתְבָּרַךְ שְׁמוֹ, וְיִתְעַלֶּה זִכְרוֹ לָעַד וּלְנֵצַח נְצָחִים:

לִישׁוּעָתְךָ קִוִּיתִי יְיָ. קִוִּיתִי יְיָ לִישׁוּעָתְךָ. יְיָ לִישׁוּעָתְךָ קִוִּיתִי. לְפוּרְקָנָךְ סַבָּרִית יְיָ. סַבָּרִית יְיָ לְפוּרְקָנָךְ, יְיָ לְפוּרְקָנָךְ סַבָּרִית.

SEVEN

I believe with perfect faith that the prophecy of Moshe is true, and that he was the chief of all the prophets, both of those who preceded him and of those who followed him.

EIGHT

I believe with perfect faith that the whole Torah now in our possession is the same that was given to Moshe, our teacher.

NINE

I believe with perfect faith that the Torah will not be changed, and that there will never be any other Torah from the Creator.

TEN

I believe with perfect faith that the Creator, blessed be His Name, knows every action of men, and all their thoughts, as it says (*Tehillim* 33:15), "He who fashions their hearts together, who considers all their deeds."

ELEVEN

I believe with perfect faith that the Creator, blessed be His Name, rewards those who observe His commandments and punishes those who transgress them.

TWELVE

I believe with perfect faith in the coming of the *Mashiach*, and although he may tarry, even so I daily anticipate his coming.

THIRTEEN

I believe with perfect faith that there will be a resurrection of the dead at the time when the Creator desires it.

> For Your salvation do I long, Hashem.
> I do long, Hashem, for Your salvation.
> Hashem, for Your salvation do I long.

Selected Bibliography

Be'er Moshe: Commentary on the Torah by R. Moshe of Koznitz (d. 1828), son of the Maggid of Koznitz.

Chafetz Chayim: R. Yisrael Meir Ha-kohen of Radin, known by the name of one of his early works, *Chafetz Chayim*, on the laws of *shemiras ha-lashon*. One of the most influential writers and Torah leaders of the last generation.

Chovos Ha-levavos (*Duties of the Heart*): One of the most profound ethical works ever written. The author, Rabbenu Bachya, lived in Spain at the end of the 11th century.

Eved Ha-melech: Commentary to the *Chumash*, *Tehillim*, *Mishlei* by the late R. Shemuel Houminer (1914-1978).

Eved Ha-melech: R. Shemuel Houminer's encyclopedic work culling the commandments from all of the *Tanach*.

Heichal Ha-berachah: A kabbalistic commentary on the *Chumash* by the Kamarna Rebbe, R. Safrin.

Iyun Yaakov: Commentary to *Ein Yaakov* by R. Yaakov Reiser (d. 1733). When a plague forced him to leave Prague and move from village to village, he wrote *Iyun Yaakov*. He is best known for his halachic works on the *Shulchan Aruch*: *Shevut Yaakov* and *Chok Yaakov*.

Maggid of Mezritch: Rebbe Dov Ber became the undisputed leader of all Chassidim after the death of the Baal Shem Tov in 1760. All the future leaders of Chassidism were his disciples, including R. Shneur Zalman of Liadi, R. Aharon of Karlin, and R. Levi Yitzchak of Berdichev.

Mechilta: *Midrashim* to *Shemos*, compiled by R. Shimon bar Yochai.

Meiri (Rabbenu Menachem bar Shelomo): Twelfth century Spanish commentator on the *Talmud*. The voluminous work, called *Beis Ha-bechirah*, covers the whole *Talmud* and is published today in thirteen volumes. He also wrote a work on repentance entitled *Chibor Ha-teshuvah*, and a commentary to *Tehillim* and *Mishlei*.

Mishnah Berurah: Commentary on the *Shulchan Aruch*, *Orech Chaim*. Written by R. Yisrael Meir Ha-kohen of Radin at the end of the nineteenth century, it is still used as one of the most authoritative halachic works today.

Nefesh Ha-chaim: A profound philosophical work on the nature of the universe and the Torah by R. Chaim of Volozhin, one of the most outstanding disciples of the Vilna Gaon.

Orchos Tzaddikim (*Ways of the Righteous*): One of the earliest works on moral and ethical self-improvement, written by an unknown author in the eleventh century. It is also called *Sefer Ha-middos*.

Rabbenu Bachya: Twelfth century Spanish commentator, disciple of the Rashba. His commentary to the Torah was unique in that he divided it into three parts, the simple, deeper, and mystical levels. He also wrote *Kad Ha-kemach*, an ethical work arranged alphabetically.

Rabbenu Yonah of Gerona: Disciple of the Ramban. His classic work, *Gates of Repentance*, has been a beacon of self-betterment for Jews throughout the generations.

R. Avraham ben Rambam: Influential leader of Egyptian Jewish community (1185-1237). His father wrote of him, "He has a sharp, deep-thinking mind." He wrote *Birkas Avraham*.

Ramban (abbreviation of R. Moshe Nachmanides): Medieval commentator, physician, and leader of his generation. His commentary to the *Chumash* is a classic, and his treatise on faith, entitled *Emunah U'bitachon*, is invaluable.

Ran (abbreviation of Rabbenu Nissim): One of the great Early Authorities whose commentary on the Rif is still influential today.

Rashi (abbreviation of Rabbenu Shelomo Yitzchaki): French commentator (1040-1105), whose elucidations of the *Talmud* and *Tanach* are studied with great scrutiny until today.

Sefer Chassidim: By Rabbenu Yehudah Ha-chassid. This work includes all the array of Torah wisdom and *mussar*, written by one of the Torah giants from seven hundred years ago.

Sefer Ha-ikarim: by R. Yosef Albo (d. 1444) of Spain. *Sefer Ha-ikarim* was written after R. Albo successfully defended Judaism in a series of public debates.

Shaarei Kedushah (*Gates of Holiness*): A work on self-improvement by one of the great kabbalists, R. Chayim Vital, the chief disciple of the Ari *z"l*, written at the end of the sixteenth century.

Shaarei Orah: A kabbalistic work written by R. Yosef Gikitiliya in the fifteenth century.

Shav Shematsa: Principles of Talmudic learning by R. Arie Leib Ha-kohen (d. 1813), author of *Kitzos Ha-choshen* and *Avnei Miluim*.

Shelah: Abbreviation of *shnei luchos ha-bris* (*two tablets of the covenant*). Written by R. Yeshaya Horowitz at the beginning of the seventeenth century, this work made a tremendous impact in Jewish thought due to its novel and deep approach.

Shulchan Aruch: *Code of Jewish Law*, written by R. Yosef Karo in the middle of the seventeenth century, and authoritative even today.

Tosefos, (*Da'as Zikenim*): Collection of short commentaries on the Torah by the *ba'alei tosefos* (twelfth-thirteenth century).

Tur: Fifteenth century halachic work by R. Yaakov, the son of the Rosh. He divided all applicable *halachah* into four *turim* (columns). R. Yosef Karo based his *Shulchan Aruch* on the Tur's divisions and subdivisions.

Unkelos: A famous proselyte of the second century. His Aramaic translation of the *Chumash*, which he received from his rabbis, is printed in all complete editions of the *Chumash*.

Vilna Gaon: R. Eliyahu of Vilna (1710-1798), one of the most influential Torah sages of modern times. His prodigious knowledge of all facets of Torah earned him the title of gaon.

Yalkut Shimoni: *Midrashim* on *Tanach* compiled by R. Shimon Ashkenazi of Frankfurt in the thirteenth century.

Zohar (*Book of Splendor*): The esoteric aspects of the Torah written by R. Shimon bar Yochai in the second century.

שלום אחים ראשון...
בו נתחיל את המלחמה
נגד שינאת חינם.

lifesize pictures of outfits
אני יהוד